NOVOS CAMINHOS, NOVAS ESCOLHAS

Abilio Diniz

Novos caminhos, novas escolhas
Gestão, liderança, motivação, equilíbrio, longevidade e fé

6ª reimpressão

Copyright © 2016 by Abilio Diniz

Grafia atualizada segundo o Acordo Ortográfico da Língua Portuguesa de 1990, que entrou em vigor no Brasil em 2009.

Capa e cadernos de fotos
Cláudia Espínola de Carvalho

Foto de capa
Marcio Scavone

Pesquisa e colaboração
Sergio Malbergier
Luís Colombini

Pesquisa de imagens
Fernanda Viola

Preparação
Eloah Pina
Eduardo Rosal

Revisão
Marise Leal
Ana Luiza Couto

Dados Internacionais de Catalogação na Publicação (CIP)
(Câmara Brasileira do Livro, SP, Brasil)

Diniz, Abilio
  Novos caminhos, novas escolhas : Gestão, liderança, motivação, equilíbrio, longevidade e fé / Abilio Diniz – 1ª ed. – Rio de Janeiro : Objetiva, 2016.

  ISBN 978-85-470-0020-2

  1. Autoconsciência 2. Crescimento pessoal 3. Diniz, Abilio 4. Empresários – Brasil – Memórias autobiográficas 5. Hábitos – Mudança 6. Mudança de vida – Acontecimento I. Título.

16-07358   CDD-926.58

Índice para catálogo sistemático:
1. Empresários brasileiros : Memórias autobiográficas
   926.58

Todos os direitos desta edição reservados à
EDITORA SCHWARCZ S.A.
Praça Floriano, 19 — Sala 3001
20031-050 — Rio de Janeiro — RJ
Telefone: (21) 3993-7510
www.companhiadasletras.com.br
www.blogdacompanhia.com.br
facebook.com/editoraobjetiva
instagram.com/editora_objetiva
twitter.com/edobjetiva

Novos caminhos, novas escolhas. Isso significa mudanças e transformações. Muitas delas ocorreram nesses últimos doze anos. A minha saída do Pão de Açúcar e o início de uma nova vida empresarial na Península, na BRF e no Carrefour foram de enorme importância para mim. Mas a grande transformação na minha vida foi ter me casado de novo e ter dois filhos pequenos.

Geyze, dedico este livro a você, por ter me dado a Rafaela e o Miguel, e por ter me tornado um homem muito melhor.

Este livro foi escrito com a colaboração do jornalista Sergio Malbergier. Sem a sua ajuda, não teria sido possível realizá-lo.

Agradeço a colaboração de Irineu Loturco, doutor pela Universidad Pablo de Olavide, de Sevilla, e diretor técnico do Núcleo de Alto Rendimento Esportivo de São Paulo, da Ana Poletto, nutricionista clínica e doutora em fisiologia humana pela Universidade de São Paulo, e da nutricionista Ana Carolina Fassina.

Por fim, mas não por último, gostaria também de fazer um agradecimento muito especial a meus filhos adultos Ana Maria, João Paulo, Adriana e Pedro Paulo, por todo o companheirismo, amizade e compreensão. Sem isso, a minha felicidade não seria completa.

Sumário

Apresentação. A palavra de um amigo — 13
Prólogo. Novos caminhos — 15
1. Mais de uma década depois — 20
2. Meus valores — 25
3. O campeonato mundial — 33
4. Reviravoltas — 40
5. Sucesso e superação — 45
6. *We have a deal* — 54
7. Um novo começo — 59
8. De volta ao varejo... global — 66
9. Desafios e transformações — 71
10. O meu caminho — 79
11. Atividade física — 84
12. Alimentação — 97
13. Controle do estresse — 105
14. Autoconhecimento — 117
15. Espiritualidade e Fé — 132
16. Amor — 144
Epílogo. Discurso de despedida do Grupo Pão de Açúcar — 151
Orações diárias — 156
Créditos das imagens — 177

Apresentação
A palavra de um amigo

Caro Abilio,

Como disse a você, com todo o prazer gostaria de colaborar com este projeto. Eu, de fato, acredito que líderes, como você, têm condições de influenciar as pessoas de maneira mais intensa e com consequências mais sérias do que as pessoas que não têm liderança. Por essa razão, além do prazer, eu sinto o dever moral de colaborar.

O modelo de colaboração que estou pensando, porém, não é o de coautoria. Estou pensando em algo que é mais parecido com acompanhante, companheiro de viagem, mas não em igualdade de condições. Você é o grande líder (não estou puxando seu saco, apenas sendo objetivo), eu não tenho a estatura, nem o poder, nem as experiências públicas e empresariais que você tem. Minha grande experiência é a de ajudar as pessoas, em conversas com elas mesmas, a extraírem de si o que têm de mais interessante e criativo.

Eu gostaria de ajudar você a passar o que aprendeu, em matéria de autoconhecimento, para o público. Se conseguir isso, vou me sentir muito bem.

Proponho, então, que comecemos a refletir sobre a morte. Você é uma pessoa que considero muito interessante nesse ponto, exatamente porque rompe com o ajuizado lugar-comum.

O que é bonito dizer? Que não tememos a morte. Que a morte é um fato natural, que a doença faz parte da condição humana, que a morte é uma boa conselheira e que aceitá-la é necessário para desenvolver sabedoria etc. etc.

O que você diz: "Sou imortal! Se tomo algumas providências é só por excesso de precaução".

O que é bonito dizer sobre a idade? Que é necessário levar uma vida adequada à idade que se tem. Que uma pessoa que desconsidera isso é imprudente e beira o ridículo. Que uma pessoa sábia consegue se retirar no momento adequado e deixa espaço para quem tem idade e força para tocar as coisas.

O que você diz e faz? Vai namorar uma mocinha, casa com ela, tem dois filhos lindos, paga bastante caro por essa ousadia, mas obtém uma das fases mais interessantes e criativas de sua vida. Em vez de se aposentar compulsoriamente, vende empresas, compra outras, cria problemas e soluções para um monte de gente. Arrisca sua imagem pública que já estava garantida, se mete em disputas que acabam exigindo toda a sua experiência e sabedoria para não degenerarem em briga sem solução. Vai aprender coisas novas, não deixa ninguém sossegado, nem mesmo eu, que estava de férias e já estou começando a me entusiasmar com esse projeto.

Ou seja, todo o contrário de um velho como um velho deveria ser.

O que isso tem a ver com autoconhecimento?

Muita coisa, na minha opinião, mas prefiro deixar em aberto e escutar um pouco o que você achou dessas primeiras ideias que me ocorreram.

Abração
(Carta que eu recebi de um grande amigo, que convidei para me ajudar a escrever este livro.)

Prólogo
Novos caminhos

Em 2004, publiquei o livro *Caminhos e escolhas*. Ele foi um grande sucesso, vendeu mais de 220 mil exemplares e teve mais de trinta reimpressões. Na época, tinha certeza de que jamais escreveria outro, por mais que muitas pessoas insistissem. Eu achava que não teria mais tantas experiências marcantes nem tantas transformações pessoais a ponto de escrever um novo livro. Mas posso afirmar que foi de lá para cá que passei os melhores anos da minha vida. Em pouco mais de dez anos, vivi e aprendi muita coisa, amadureci e dei mais consistência às ideias que já estavam esboçadas no meu primeiro livro.

Quanto mais vivo, mais acredito que somos aquilo que escolhemos ser. Em inglês, usa-se a expressão *great by choice* para definir uma pessoa que decide não ser comum, que escolhe ser alguma coisa a mais, ser um ponto fora da curva.

Neste novo livro, gostaria de passar a você, que está investindo seu precioso tempo na leitura, duas crenças importantes. Em primeiro lugar, tenho a convicção profunda de que, se eu conquistei e ainda posso conquistar muitas coisas, você também pode. Em segundo, acredito que é possível ser ativo e saudável na velhice — não devemos temê-la desde que estejamos preparados para ter uma *vida longa com qualidade*.

Não tenho dúvida de que isso é uma escolha de cada um. O que me motivou a revisitar e atualizar as ideias do livro anterior foi a constatação de que, depois de tanta coisa que passei em minha vida, se eu consegui, nada o impede de conseguir também — a não ser você mesmo. Olhe para mim, para aquilo que realizei até agora, mas olhe sobretudo para a minha história, para saber como eu fui e como era o lugar de onde vim.

Ao ler este livro, você vai constatar que o Abilio Diniz que aparece nas capas de revistas e no noticiário dos jornais não tem e nunca teve nada fora do comum, nada que a grande maioria das pessoas não possa ter também no seu crescimento pessoal e profissional. Além dos meus valores e dos meus pilares (que foram desenvolvidos ao longo dos anos e me levaram às minhas conquistas), considero especialmente forte em mim a fé que tenho em Deus. Filho de padeiro, nasci em uma edícula que ficava atrás de uma pequena mercearia, e tive uma infância e juventude de recursos muito limitados.

Se você não leu *Caminhos e escolhas*, terá agora a oportunidade de me conhecer por dentro — o Abilio real, que existe por trás da imagem de executivo polêmico, ambicioso e agressivo retratado superficialmente nos veículos de comunicação. Neste livro abro a minha mente e o meu coração para, com toda transparência, compartilhar com você o melhor do que vivi e aprendi. Se você leu *Caminhos e escolhas*, poderá acompanhar a minha trajetória nos últimos anos e testemunhar o quanto ainda me transformei como empresário e como pessoa. No momento em que a maioria decide parar, escolhi continuar caminhando em busca de uma vida mais feliz e de uma longevidade com qualidade. Acredito que qualquer um pode seguir o mesmo caminho.

Tudo o que consegui na vida veio com muita dedicação e esforço. Com muita garra e vontade de atingir metas. De chegar lá. Muita gente não acredita quando eu conto isso, mas eu era gordinho e baixinho até os doze anos. Com grande determinação, consegui superar minhas limitações físicas. Por isso, repito: se eu consegui, você também pode conseguir. Sim, você tem o poder de mudar sua vida. *Sim, você pode.*

A vontade de ser grande, de ter sucesso, de fazer coisas importantes e de ser feliz é uma escolha — e precisamos utilizar as ferramentas apropriadas para vencer e alcançar os objetivos que nos colocamos.

Vejo muitos amigos fazerem cinquenta, sessenta, setenta anos e dizerem com espanto: "Puxa, estou ficando velho!". Já cheguei a ouvir gente que chegava aos quarenta se lamentar da mesma forma. Uma coisa que preciso passar para você é que não tenho medo da idade nem da velhice. As pessoas precisam aprender a tirar proveito disso. Em vez de reclamar, deveriam valorizar o fato de que, quanto mais se vive, mais se acumula conhecimento e sabedoria. Se você conseguir conciliar uma mente saudável com um corpo saudável, ou seja, uma mente ágil e repleta de conhecimento com um corpo que conserve resistência e agilidade, certamente vai passar pelos *melhores anos de sua vida*.

Muita gente pode dizer que é impossível, que o envelhecimento é um processo natural e que todos passam por isso, que não dá para manter o corpo e a mente saudáveis para sempre. Sim, é verdade. À medida que o tempo passa, os músculos vão perdendo a força. Se você não trabalhar cada um deles, encontrará cada vez mais dificuldades. Mas saiba que é possível atenuar essa curva, se empenhar contra esse processo de enfraquecimento muscular. E o mais importante: sem grandes sacrifícios.

Eu odeio sacrifícios. Sempre digo isso. A vida tem de ser vivida com alegria. Com vontade, determinação e o mínimo de disciplina, você consegue tirar do seu corpo muito mais do que imagina — e por muito mais tempo. E a cabeça, até onde ela pode ir? Não sei. Sei que existem limites, mas gosto de estar sempre próximo deles e de empurrá-los para mais longe.

Trabalhei duríssimamente desde a juventude para ajudar a construir a maior rede de supermercados do país (acredito que poucas pessoas no mundo tenham o número de horas de visita a supermercados e pontos de varejo que eu tenho). Por um período, tive desentendimentos com os meus irmãos, a empresa foi à lona e quase quebrou, sofri um sequestro que me marcou por muito tempo... Aos poucos, fui refazendo minha vida e reergui a rede de supermercados. Quando ela estava maior do que nunca e eu ainda bastante motivado para continuar a administrá-la, tive de passar a empresa adiante.

Uma coisa que marca também o meu caminho é o compromisso com meu país. Amo o Brasil e acredito que podemos conquistar muito mais. Nesse sentido, tento sempre contribuir como empreendedor e como cidadão, participando do debate público e, sempre que possível, colaborando com a esfera governamental. Dediquei dez anos da minha vida ao Conselho Monetário Nacional, na década de 1980, e procurei ajudar o país naquele momento difícil pelo qual passava. Além disso, participei, com a minha voz, as minhas opiniões, do Conselho de Desenvolvimento Econômico e Social, nos anos 2000.

Considero que todas as pessoas deveriam ter consciência do seu dever cívico. Deveríamos inclusive esperar que mais jovens ingressassem na carreira política. O país precisa ser dirigido — todos os países, aliás — e para isso é necessário que tenhamos pessoas comprometidas. É algo extremamente importante para o nosso desenvolvimento. Participar da atividade pública, atuar nos governos, tudo isso deveria ser incorporado nos deveres de cada um. Procurei sempre dar a minha contribuição nas áreas em que atuei. Acho, também, que a função do empresário é produzir riqueza e gerar emprego. Tentei seguir sempre esse caminho.

Hoje, no meu dia a dia, cuido de grandes investimentos, sou presidente do conselho de administração de uma das maiores empresas de alimento do mundo, a BRF, viajo muito, dou aulas e conferências em que procuro dividir o que aprendi — e continuo aprendendo — com os mais jovens. Recentemente me tornei o terceiro maior acionista do Carrefour global, uma companhia que por décadas foi minha maior concorrente, e assumi um assento no conselho de administração mundial da empresa.

Chegar a esse ponto em que cheguei é resultado de muito trabalho e de muita paciência. A paciência sempre foi uma coisa escassa em mim. Nunca tive muita; gosto das coisas acontecendo com rapidez. Mas isso foi algo que cultivei ao longo do tempo. Mesmo depois de a fusão entre o Grupo Pão de Açúcar (GPA) e o Carrefour não ter dado certo, eu não perdi contato com os acionistas nem com a diretoria. Quando o Georges Plassat, hoje CEO do Carrefour, assumiu a companhia, em 2012, imediatamente estabeleci contato com ele. Os contatos se estreitaram ainda mais quando eu saí do GPA, em 2013, e fomos levando isso aos poucos, subindo degrau por degrau, construindo tijolinho por tijolinho, até chegarmos a esse ponto de agora.

Foi um trabalho de paciência e determinação. *Eu não desisto nunca*. Senão já teria desistido quando o negócio da fusão do Carrefour com o GPA não deu certo. Continuo fazendo exercícios algumas horas por dia, sou católico praticante e por isso rezo bastante, e ainda reservo um tempo para o autoconhecimento e a meditação. Tenho uma esposa que amo muito e uma família grande, seis filhos, dezessete netos e uma bisneta, aos quais sou muito dedicado.

De tudo o que já fiz e continuo a fazer — com a mesma disposição com que abracei o convite de meu pai para construir o Pão de Açúcar, há quase sessenta anos —, procurei sempre extrair e acumular conhecimentos e experiências que pudessem me transformar para melhor como empresário e como ser humano. Muitas pessoas escrevem livros dando conselhos baseados apenas no conhecimento teórico sobre determinado assunto. Não é o meu caso. Tudo o que eu digo aqui está baseado não só em conhecimentos obtidos por meio de leituras e contatos com os melhores especialistas do Brasil e do mundo, mas também no que selecionei de melhor para mim mesmo, baseado na minha experiência prática de empresário, de atleta e de praticante religioso. Considero que uma das tarefas da minha vida é compartilhar esse longo e rico aprendizado, teórico e prático, que, aliás, cresce e se renova sempre. Daí a necessidade de um novo livro.

Viva tranquilo. A idade não é o problema. O importante é buscarmos a felicidade e lutarmos sempre por ela.

1. Mais de uma década depois

Paris. Primavera. Fazia uma bela manhã de domingo. Estávamos na cidade para comemorar o aniversário de minha esposa, Geyze. O presente que ela havia escolhido era uma viagem sem seguranças e, mais importante, sem as babás — só ela, eu e nossos dois filhos pequenos, Rafaela e Miguel, então com seis e quatro anos. Estávamos atrasados para a missa, quando Geyze me pediu: "Você pode dar banho no Miguel?". Minha reação imediata foi pensar: será que dou conta? Mas logo respondi: "Deixe comigo!". E lá fomos eu e o Miguel para debaixo do chuveiro. Tomamos um banho gostoso e rápido porque o tempo era curto. Enxuguei meu filho caçula e, com certa dificuldade e muito carinho, deixei-o prontinho para sair.

Embora essa situação possa ser corriqueira na vida de muitos pais, dar banho em um filho pequeno foi uma experiência nova — e incrível! — para mim, então com 77 anos. Tenho seis filhos e nunca havia dado banho em nenhum deles. Quando contei essa experiência aos meus mais velhos, um deles disse: "Pai, ainda está em tempo de você fazer isso conosco também. Pode começar dando banho no João", referindo-se ao meu segundo filho, naquela época com 49 anos. Toda a família caiu na risada. Pequenos momentos como aquele em Paris é que produzem as grandes surpresas e os encantos da vida. Gestos aparentemente menores, mas que têm dimensões e consequências enormes para nossa existência. Precisamos aprender a dar valor às pequenas coisas. Metas ambiciosas são importantes, é claro, mas, para uma vida com mais equilíbrio e autossatisfação, é fundamental amar e valorizar o que se tem.

Do meu primeiro livro para cá, muita coisa mudou no mundo, no Brasil e na minha vida. Foram anos intensos tanto na área familiar quanto na empresarial. Anos que testaram todo o conhecimento adquirido com os episódios marcantes pelos quais passei e que acabaram consolidando ainda mais os meus valores. Não tenho dúvida de que, sem a base de sustentação dos meus valores e sem a solidez do que eu chamo de "meus pilares", as dificuldades teriam sido muito maiores. Foi no amor, no autoconhecimento, na espiritualidade e na fé que me apoiei para construir uma nova realidade familiar com Geyze, com os meus quatro filhos adultos, Ana Maria, João Paulo, Adriana e Pedro Paulo, e os meus dois pequenos, Rafaela e Miguel. Olhando pelo retrovisor e refletindo sobre tudo o que aconteceu entre 2004 e 2016, tenho a sensação de que esses foram os anos mais importantes e felizes da minha vida.

Mas será que foram mesmo? Se Deus me der saúde, será que daqui a dez anos terei novamente a sensação de que, na verdade, foram eles os mais importantes de minha vida? Será possível continuar evoluindo constantemente diante das inescapáveis mudanças no nosso corpo e na nossa mente? Tenho certeza de que sim. É possível continuar evoluindo, mesmo que eu não volte a passar por transformações tão radicais quanto as que vivi nos últimos anos. Se posso ter uma cabeça jovem e um corpo ativo, buscando sempre novos conhecimentos e a longevidade com qualidade, por que não posso ser mais feliz ainda?

Entre 2004 e 2016 aconteceram fatos tão marcantes na minha vida que fui levado a rever alguns conceitos que havia formulado no livro anterior. Embora os pilares (que eu chamava de "os seis elementos") que alicerçavam minhas ideias sejam tão válidos hoje quanto eram naquela época, os últimos anos trouxeram novas descobertas que enriqueceram minhas formulações. Por exemplo, os capítulos sobre alimentação e atividade física foram inteiramente revistos à luz de novos entendimentos técnicos e pessoais.

Deixe-me colocar as primeiras coisas em primeiro lugar: o fato mais importante para mim, nesses anos, foi o casamento com Geyze, em 2 de dezembro de 2004. Nós já namorávamos desde 2000 e, embora a amasse muito, dizia para mim mesmo que, àquela altura da vida, depois da experiência do primeiro casamento e da criação de quatro filhos, eu só queria mesmo era namorar. Eu pensava: "Morar junto? Nem a pau. Casar? Menos ainda. Ter filhos? Impensável". Portanto, o casamento foi a primeira grande transformação na minha vida nesse período. A mudança veio quando me conscientizei de que, se estava namorando a mulher que eu amava, que era muito importante para a minha vida, que era minha companheira em tudo e tinha comigo uma enorme identidade, não seria correto não casar com ela. Mais do que tudo, seria muito incorreto impedi-la de ter filhos.

Geyze e eu conversamos muito sobre a questão do casamento, e chegamos à conclusão de que deveríamos procurar alguém para nos ajudar. Fizemos três sessões com um grande especialista na chamada terapia vincular (ou terapia de casal). A primeira conversa foi muito difícil. Eu radicalizei os meus pontos de vista, a Geyze radicalizou os dela e saímos de lá bem tristes. Na segunda sessão, ela estava bastante intransigente nos pontos dela e eu — achando tudo aquilo muito estranho —, um pouco menos, nos meus. Na terceira, surpreendi Geyze e o terapeuta. Logo no início da sessão, declarei: "Eu tomei uma decisão. Vou pedir a Geyze em casamento, vamos morar juntos e vou ter filhos com ela". Quando rememoro aquele momento, tenho a convicção de que foi a decisão mais importante da minha vida, porque hoje, além da Geyze, tenho a Rafaela e o Miguel. Olho para esses dois baixinhos e me pergunto como eu poderia viver sem eles.

Os dois filhos menores tiveram uma influência enorme no meu empenho em me renovar e no meu compromisso de ser uma pessoa jovem e saudável, processo que havia começado já durante o casamento com a mãe deles, bem mais nova do que eu. Quando olho para eles, sou tomado por novos estímulos. Por exemplo: preciso me manter jovem porque não quero buscá-los na escola e ouvir alguém dizer "aquele velhinho ali é pai da Rafaela e do Miguel". Apesar de ter muita fé e esperança, não nutro ilusões. Sei que comentários assim serão inevitáveis, mas se depender de mim vou empurrar esse momento para bem longe. Não quero ser um velhinho para eles. Nem para eles, nem para minha mulher, nem para mim mesmo.

Nós nos casamos em uma capelinha de madeira que fica na casa em que moramos hoje, construída em 2001, em São Paulo. Dentro da capela, junto de uma imagem de Santa Rita e outra de Nossa Senhora, só tinha um lugarzinho para nos ajoelharmos. Aumentamos um pouco a cobertura, convidamos a família e as pessoas mais próximas e nos casamos ali mesmo, num clima de intimidade, na casa que iríamos compartilhar. Foi maravilhoso. Depois, partimos para uma "longa" lua de mel de quatro dias. Voltamos logo porque eu queria participar da reunião anual do Pão de Açúcar, com cerca de quatro mil pessoas, e, em seguida, de uma reunião do conselho de administração do Casino, na França. Embora curta, foi uma lua de mel sensacional, muito intensa e de muito amor.

O nascimento de Rafaela (2006) e de Miguel (2009) foi a celebração maior desse amor. Todos nós temos lados bons e lados ruins. Tenho certeza de que a oportunidade de começar uma nova família, cercada de muito amor, reforça cada vez mais o meu lado positivo, voltado para a espiritualidade e comprometido em fazer o melhor que posso pelo outro, como forma de agradecer a Deus pelos momentos que tenho vivido.

Tive os meus filhos mais velhos, que amo profundamente, em uma época na qual os amigos da minha idade também estavam tendo os seus. Era muito legal como tudo aquilo acontecia, mas formar uma família era algo comum. O incomum, naquele estágio, era vencer na vida, nos negócios, no esporte. Era ter sucesso nos novos caminhos que se abriam à vida adulta. Porém, ter filhos agora é muito diferente. Rafaela nasceu quando eu estava com 69 anos. Nessa idade, eu já tinha obtido grandes conquistas pessoais, empresariais e esportivas. Podia me considerar um vencedor. Ter mais sucesso nos negócios ou mais vitórias esportivas pouco poderia acrescentar ao que eu havia construído. Mas ter uma filha quase 35 anos após o nascimento do Pedro Paulo, o caçula do meu primeiro casamento, era realmente uma conquista extraordinária.

Junto com aquele sentimento fantástico, surgiu também o peso do aumento de responsabilidade. Era a hora de repensar quem eu era, o que estava fazendo, o que eu iria passar para os meus filhos. Era a hora também de me comprometer mais com os meus valores e com o que é correto. Os filhos adultos também experimentaram uma nova alegria com a chegada dos mais novos, embora de vez em quando me cobrassem: "Pai, você dá muito mais atenção para eles do que deu para nós quando éramos pequenos". Nessa hora, eu respondia: "É verdade. Mas eu provavelmente não estarei com eles quando tiverem a idade que vocês têm agora. Por isso, preciso dar muita atenção, muito amor, estar muito presente nesse período e procurar levá-los até onde eu puder".

O amor e as coisas boas com as quais venho sendo contemplado reforçaram o meu lado espiritual e o meu desejo de cada vez mais agradecer a Deus. Mas como fazê-lo? É preciso sempre retribuir. Considero que Ele quer que você dê o melhor de si e faça o melhor que puder para as pessoas que estão ao alcance de suas ações. Essa determinação de retribuir tem sido cada vez mais forte em mim. Este livro é o resultado disso.

Não foi apenas a vida familiar que evoluiu. Em outras áreas também houve mudanças importantíssimas que me levaram a novos aprendizados. Porém, antes de falar do lado profissional e empresarial, gostaria de mencionar dois aspectos que considero fundamentais: a atividade física e a alimentação. Eles são alicerces do meu projeto de vida, e meus conceitos nessas duas áreas mudaram substancialmente. Em *Caminhos e escolhas*, os estudos nesses campos apontavam que, quanto mais esportes você praticasse — de forma correta e dentro de um estilo de vida saudável —, melhor seria para sua saúde. Nos últimos anos, descobri que não é bem assim, e essa foi uma descoberta iluminadora. Hoje, vejo o esporte não como uma competição, mas como algo que pode trazer longevidade com qualidade de vida. No que diz respeito à alimentação, percebi que, na busca da longevidade com qualidade, seria preciso rever alguns conceitos desenvolvidos no primeiro livro. Já não sou mais adepto da ingestão excessiva de carboidratos. Por isso, o capítulo sobre alimentação foi bastante modificado.

O lado empresarial também passou por mudanças profundas. Elas foram uma espécie de provação, de "teste de qualidade" dos valores e pilares que ergui ao longo da vida. Felizmente, nesses momentos difíceis, os valores e pilares acabaram provando sua solidez. Eles também, de certa forma, se modificaram e se aperfeiçoaram, conforme você verá a seguir.

2. Meus valores

Nesses últimos anos, tenho refletido muito sobre o que me move ao longo da vida, as ideias e os ideais que me levaram a uma vida melhor, a uma vida mais feliz. Quais foram os vetores que me levaram a ter mais qualidade de vida, a ser uma pessoa mais serena, que se relaciona melhor com os outros e tem uma postura mais construtiva? Como costumam dizer os americanos, *what drives me*? Quero dizer, o que tem me levado adiante depois de tudo o que aconteceu no meu caminho? Qual o balizamento que eu tenho na minha estrada da vida? Onde estão os limites dessa estrada por onde me conduzo?

Esses limites são estabelecidos pelos meus cinco valores, formados desde que nasci — num lar humilde, mas cheio de princípios e propósitos — até os dias de hoje.

Ao longo da vida, passei por grandes choques, com conflitos na família, dificuldades empresariais e um sequestro muito violento que me fez sair do outro lado com outra cabeça.

Passei por transformações profundas que me tornaram uma pessoa melhor e com muito mais sucesso. Não no sentido empresarial, esportivo ou financeiro. Mas sucesso em direção à felicidade, que, pelo que aprendi nesses anos, é a principal conquista da vida.

Refleti muito até identificar os pontos fundamentais dessa trajetória. Eu costumava dizer que era guiado por quatro valores, que estavam escritos na pedra: humildade; determinação e garra; disciplina; equilíbrio emocional. Eles eram suficientes para marcar a minha vida, o meu caminho. Num determinado momento, no entanto, comecei a pensar: Será que eles englobam tudo? Será que a minha jornada foi marcada só por isso, ou há alguma coisa a mais? Depois de refletir muito, decidi acrescentar outro valor, que sempre esteve comigo: honestidade e ética. Hoje, tenho cinco valores: honestidade e ética; humildade; determinação e garra; disciplina; equilíbrio emocional. Vamos passar a cada um deles.

Antes, é importante dizer que esses valores definem o meu caminho, a estrada por onde ando. Mas onde me apoio? O que me serve de apoio na estrada da minha vida são os meus pilares, sobre os quais falarei mais adiante.

HONESTIDADE E ÉTICA

Falo sempre e bastante da minha origem humilde, da família em que nasci, do meu começo. Sempre tive muito orgulho dos meus pais e da minha família. Ter nascido num berço de poucos recursos materiais não significa de forma alguma que tenha recebido pouco do meu pai e de minha mãe. Pelo contrário. Eles me deram muito. Eles me deram a base para construir minha vida.

Essa imensa riqueza e esse imenso legado que meu pai e minha mãe me deram foram construídos desde que eu era pequeno, já nos primeiros momentos da vida.

Minha mãe me deu a grandeza de me apresentar a Deus. Toda a sua crença, toda a sua fé, toda a força que isso lhe dava passou a me conduzir por toda a vida. Tanto que falo sempre que minha grande força foi, e é, a fé que eu tenho em Deus.

E o meu pai? Meu pai me deu o primeiro balizamento da vida. Ele definiu quais eram os meus limites e os meus direitos, e também onde começavam os direitos dos outros. Ele apontou o que eu podia fazer e, sobretudo, o que eu deveria fazer.

Com sua maneira simples de homem que nunca teve escola e aprendeu a ler e a escrever ajudado por outras pessoas numa aldeia em Portugal, meu pai me ensinou a grandeza da honestidade e da ética. E honestidade e ética significam respeito. É saber claramente o que é seu e o que não é. É saber onde está o direito dos outros e se conduzir pela lei não escrita dos homens, mas que precisa ser observada.

Honestidade e ética me foram dadas pelo meu pai nos primeiros momentos da vida, e eu as conservo firmemente desde então.

Quando era mais jovem, entrei em dezenas de brigas. Nunca fui desleal, mas nunca deixei de lutar pelo que eu acreditava. Nunca tirei nada de ninguém, sempre lutei somente por aquilo que era meu, por algo que eu defendia. Conservei sempre isso, pois a base dos nossos atos deve ser a honestidade.

Nos momentos mais difíceis de minha vida, nos momentos de muita agressividade, de muita competição, em que o importante era ganhar de qualquer jeito, tanto nos esportes quanto nos negócios, em todos esses momentos, por mais força e agressividade que eu pusesse, por mais que tentasse remover de minha frente todo e qualquer empecilho para caminhar em direção à vitória, nunca me esqueci dos ensinamentos do meu pai, que me fizeram uma pessoa honesta e ética.

Isso eu conservo por toda a minha vida. Mais do que conservar, transmito ativamente para a minha família e as pessoas próximas. Para os meus filhos adultos, dos quais eu tenho muito orgulho, pois andam pela mesma estrada da vida que eu, e agora para os meus filhos pequenos e os meus netos.

Ao longo de toda a minha vida profissional, me esforcei também em compartilhar esse balizamento trazido pela honestidade e pela ética com as pessoas que trabalham ou trabalharam comigo. Assim como com os meus alunos e, agora, com você.

HUMILDADE

O que é humildade? Muita gente que me vê defendendo a humildade nas minhas palestras e entrevistas pode pensar: "Esse Abilio é humilde? De jeito nenhum". É que as pessoas às vezes confundem o conceito de humildade, acham que ser humilde é usar roupa velha, fazer voto de pobreza, falar baixinho, ser tímido, não aparecer.

Humildade, no meu entendimento, não é nada disso.

Humildade é, em primeiro lugar, estar certo de que você nunca sabe tudo, sempre pode aprender, sempre pode crescer — porque a grandeza da vida está na busca do crescimento, na busca da sabedoria.

Humildade é buscar ser sempre melhor, aprender a ouvir as pessoas, saber escutá-las, entendê-las, ter uma percepção do que está dentro delas quando você está dialogando. É perceber que muitas vezes certas pessoas estão se esforçando para passar alguma mensagem, e você muitas vezes não está prestando atenção no que elas dizem. Humildade é ter respeito.

Ter humildade é reconhecer que você não é superior às outras pessoas. É reconhecer que todas as pessoas são importantes, merecem ser consideradas e ouvidas. É não tentar se impor; é compreender que nunca somos tão grandes a ponto de poder desconsiderar as pessoas e tudo aquilo que está à nossa volta.

É por isso que uma das frases mais importantes para mim, que repito sempre e em que acredito profundamente, é: *Quero ser hoje melhor do que ontem, e amanhã, melhor do que hoje.*

DETERMINAÇÃO E GARRA

Antes de tudo, é preciso entender que determinação não é sinônimo de ser cabeça-dura. Você tem que saber como ser determinado e, ao mesmo tempo, flexível, se adaptar a situações inesperadas que podem aparecer à sua frente. A determinação, portanto, é um valor que precisa ser usado com sabedoria, e a flexibilidade é uma atitude que se conquista ao longo da vida.

Determinação, para mim, pode ser expressa em uma frase de que gosto e que uso muito: *Não sabendo que era impossível, foi lá e fez.*

Mas muita atenção, porque determinação pode ser facilmente confundida com obsessão, teimosia, rigidez, com alguém que não escuta e não aceita outros argumentos.

Para ser determinado, é preciso saber muito bem o que se quer, entender exatamente o que se está buscando. Você tem de pensar e questionar o seu objetivo: vou buscar o quê? Por quê? De que forma? É só a partir dessas respostas que podemos ter a convicção de que estamos diante de algo tão importante que vale lutar com determinação e garra. Que aquela é uma meta que merece ser atingida, e não uma simples obsessão.

Determinação é um caminho que você traça em direção a um objetivo claro, do qual você tem certeza da importância. Já a *garra* é a força que você coloca nessa determinação, é tudo aquilo que você traz lá de dentro para ajudar na busca desse objetivo.

Em inglês, usa-se a palavra *guts* para expressar essa garra. *Guts* significa também "tripas". Por aqui, dizemos que é preciso puxar forças lá de dentro para alcançar um objetivo difícil, para vencer uma luta dura. Quanto mais garra você tiver, maior a chance de superar seus limites.

Mas há um detalhe importante sobre determinação e garra que faço questão de ressaltar: até onde devemos ir com todas as forças em busca de um objetivo? Será que não há um momento em que é melhor mudar de rumo ou mesmo desistir?

Costumo dizer a mim mesmo que não conheço limites. Mas sei que eles existem. Parece um paradoxo. Eu explico: uma coisa é você desafiar os limites e ter determinação, garra, vontade e disposição para testá-los; outra é você não ter consciência de que eles existem.

Os limites existem. É preciso saber que, quando eles finalmente aparecem, é hora de mudar de rumo, de recuar, de tirar aquilo da frente e até esquecer o que se estava fazendo. Mas isso não impede que você os teste sempre, para saber se são mesmo os limites ou se você pode ir mais à frente. Isso é determinação e garra.

DISCIPLINA

Disciplina pode ser mais uma ferramenta, ou um atributo, mas eu sempre a classifico como um valor porque ela é muito importante na minha vida.

Tem gente que diz para mim, ou sobre mim: "Esse Abilio é irritantemente disciplinado". Não sei se essa minha disciplina é irritante. Para mim, pelo menos, não é. Para mim, a disciplina é uma forma de andar pela vida, uma forma de me conduzir. É a menor distância entre dois pontos, a menor distância entre você e suas metas. Se você for disciplinado e traçar uma linha reta em direção às metas, vai alcançá-las com mais facilidade.

Não basta você ter consciência de que deve ser disciplinado. "Não vou comer doce porque engorda, não vou beber porque faz mal". Esses exemplos não significam que você é uma pessoa organizada. Primeiro, porque são atitudes muito radicais. Segundo, porque muitas vezes são desnecessárias. Isso não é disciplina. *Disciplina significa fundamentalmente organização.*

Ou seja: agenda, programação, localização espacial e temporal. Disciplina é ter a plena consciência de que numa caixa de seis não cabem doze, e não adianta tentar porque não cabem nem oito se ela foi feita para seis. É saber que o dia tem 24 horas, o ano tem 365 dias, e que você não consegue fazer em 24 horas coisas que precisariam de 36, 48 ou 60 horas para ser feitas. É você ter perfeita consciência temporal e espacial do que dá para fazer, e do que é razoável fazer.

Muita gente fala que ter agenda é chato, que nos aprisiona. E rotina, então? Ouço os jovens reclamarem que rotina é algo tedioso, uma repetição diária das mesmas coisas e do mesmo modo de fazê-las. Eu respondo que adoro as minhas rotinas, principalmente porque sou eu quem as crio, sou eu quem me organizo. E não há nada melhor do que fazer sempre aquilo de que se gosta. Então, por que não organizar de maneira razoável as ocupações que nos dão prazer?

Mas aí as pessoas dizem: "Que horror levantar todo dia na mesma hora, fazer todo dia os exercícios na mesma hora, comer e dormir todo dia na mesma hora!". Mas quem é que comanda isso? Sou eu, não sou? Não me submeto a uma agenda. Ao contrário: submeto minha agenda ao que eu quero fazer.

É importante ter em mente que você deve ter rotinas e compromissos, mas deve também ser flexível.

Nem sempre fui como sou hoje. Cada dia que passa, graças a Deus e a todos os meus esforços de autoanálise, consegui ter mais flexibilidade. *Caminho sempre em linha reta rumo aos meus objetivos, mas sou flexível o suficiente para mudar*, voltar atrás, refazer o caminho. Se tenho uma rotina e a sigo, é porque aquelas são as atividades que gosto de fazer ou que melhor se encaixam no tempo disponível. Mas se de repente aparecer um empecilho intransponível pela frente ou alguma coisa mais atraente, é um erro não mudar.

Se você organiza sua vida dentro de um padrão confortável, tranquilo e principalmente prazeroso, você terá uma vida muito mais calma e serena, com muito menos estresse.

Na medida em que você se organiza, monta uma agenda e sabe realmente o que conseguirá fazer no dia seguinte, você não vai se estressar, não vai ter pensamentos como: "Ah, amanhã eu tenho que fazer tudo isso, mas não sei se vai dar tempo".

Com disciplina, você vai usar o tempo a seu favor, não contra. É normal as pessoas dizerem que não dá tempo, que nunca têm tempo, que não será possível fazer determinada tarefa no prazo. Mas, se você se organizar minimamente, é possível fazer muito mais do que imagina. O tempo pode ser um forte aliado, se você souber usá-lo.

Eu só me estresso com as poucas coisas realmente importantes da vida. Essa consciência — e a disciplina para manter essa consciência — reduz os momentos de tristeza e conduz à felicidade.

Disciplina não é só controle. Disciplina é postura, é modo de agir. É ter atitude perante a vida e ser determinado em relação aos objetivos traçados. É reconhecer que o mais importante é ser feliz.

EQUILÍBRIO EMOCIONAL

Autoconhecimento é a chave do equilíbrio emocional. Ele é fruto da autoanálise e de uma reflexão profunda sobre esse cara dentro de você, sobre o que o faz pensar, agir, amar, sofrer, vibrar, sobre o que lhe traz alegria e tristeza. Quando você realmente consegue se conhecer, terá muito mais facilidade para conhecer os outros e se entender melhor com eles.

Mas o que eu chamo de equilíbrio emocional? Primeiro, como disse, é você saber quem você é. Depois disso, é preciso ter uma consciência muito clara do que você faz, de todos os papéis e atividades que você desempenha na vida.

Você tem o papel de pai, de filho, de marido, de trabalhador, de esportista, de amigo, e tantos outros. E tem também inúmeras atividades: convívio com a família, trabalho, esporte, lazer... A grande sabedoria da vida é conseguir manter esses papéis e atividades em equilíbrio.

Não adianta estar muito feliz na vida profissional e não estar feliz no casamento, na relação com os pais, na relação com os filhos. Não adianta estar satisfeito com o trabalho e com a família se você fica frustrado com a falta de tempo para a atividade física, o lazer e o descanso.

Muitas pessoas são mal-humoradas e antipáticas porque vivem frustradas com alguma coisa que gostariam de fazer e não podem, com uma vida que gostariam de levar e não conseguem. Por isso é tão importante manter todos os papéis e atividades em equilíbrio, procurar sempre estar bem em todas essas situações.

Quando você está bem consigo mesmo, tem muito mais condições de se relacionar bem com as outras pessoas, de escutá-las, de ser compreensivo, paciente e harmonioso. Isso tudo nos capacita a construir em vez de destruir. E você só vai conseguir estar bem consigo mesmo se tiver uma vida com equilíbrio emocional.

3. O campeonato mundial

O lado empresarial da minha vida passou por grandes mudanças nas últimas duas décadas. Elas testaram profundamente os valores e pilares e acabaram provando sua solidez. Entre 2001 e 2002, com o auxílio de John Davis, professor da Universidade de Harvard e especialista em empresas familiares, meus filhos e eu fizemos um exercício de profundidade, para discutir e tentar definir como seriam nossas vidas empresariais e profissionais em cinco, dez, quinze e vinte anos à frente. Chegamos à conclusão de que o Pão de Açúcar precisava se perpetuar e que a melhor maneira de fazê-lo era profissionalizar a gestão. Mais do que isso: teríamos de tornar a empresa menos dependente da família Diniz, sobretudo do Abilio.

O projeto de profissionalização do Pão de Açúcar começou a ser implantado no início de 2003. Foi muito duro. Quando sentei na minha cadeira, na sala compartilhada por toda a diretoria, no primeiro dia de trabalho, em 2003, e vi as mesas dos meus filhos Ana Maria e João Paulo vazias na minha frente, senti uma tristeza muito grande e um nó na garganta. Nessa hora, me perguntei: "Precisa mesmo ser assim?". Bem, assim foi feito. E, embora a decisão tenha sido compartilhada por todos nós, Ana Maria e João sentiram muito em ter de deixar seus postos de executivos na empresa que era quase um sobrenome na vida deles.

Da família, só eu permaneci na sala da diretoria. Mas as minhas funções já não eram as mesmas. Eu não era mais o presidente-executivo, o homem que comandava as atividades e operações do dia a dia, como havia feito ao longo de quase toda a minha vida profissional, mas passava a ser o presidente do conselho de administração (onde meus filhos ainda tinham assento). Uma pessoa que vinha de dentro do Pão de Açúcar foi escolhida para dar continuidade ao meu trabalho como principal executivo da empresa. Infelizmente, essa pessoa não se saiu bem nos novos desafios que se apresentaram a ela. A empresa andou de lado. Não evoluiu. Por quê? Ao analisar em retrospecto, tenho de fazer uma autocrítica e admitir que as coisas não correram bem porque eu não as fiz como deveriam ter sido feitas.

O Pão de Açúcar era excessivamente identificado com Abilio Diniz e eu pus na cabeça que isso deveria acabar. Muita gente duvidava de que eu conseguiria me afastar da empresa. Embora não tenha me desligado completamente, procurei dar total autonomia ao novo presidente-executivo. Aplaudia os acertos e tentava não ser crítico em relação aos erros. Afinal de contas, a ideia, no médio prazo, era formar um novo líder, oferecendo apoio, mas deixando que ele fosse aprendendo na prática, com seus próprios erros e acertos. Essa primeira tentativa não deu certo.

Mas o tropeço não me levou a desistir do projeto de profissionalização. Contratamos *headhunters* para buscar novos nomes no mercado de trabalho. Juntamente com os outros membros do conselho de administração, entrevistei vários profissionais e, no final, escolhemos um que havia sido aprovado por todos. Ele assumiu o cargo de presidente-executivo no início de 2006. Saiu no ano seguinte. Infelizmente, foram mais dois anos perdidos. A empresa andou para trás. Ele não conhecia as vicissitudes de uma empresa grande e complexa como o Pão de Açúcar.

No final de 2007, decidi trocar novamente o principal executivo da companhia, uma decisão que deveria ter sido tomada antes, mas que pelo menos agora estava sendo tomada. Eu já vinha observando de perto o trabalho de Claudio Galeazzi, responsável pelas operações do Pão de Açúcar no Rio de Janeiro e encarregado da reestruturação da rede Sendas, que havíamos comprado em 2003. Resolvi trazê-lo para o comando da empresa em São Paulo e, nos dois anos seguintes, tivemos os resultados mais espetaculares da companhia. Galeazzi foi um excelente presidente. Mas acho que também foi muito importante o fato de eu ter reconhecido os meus erros anteriores no processo de profissionalização e ter adotado uma nova atitude em relação ao presidente-executivo.

Quando ele assumiu, no auditório do Pão de Açúcar, reunimos imprensa, analistas de mercado e investidores para apresentá-lo em suas novas funções. Surpreendi a plateia curiosa afirmando que os erros até então no processo de profissionalização eram de minha responsabilidade. Durante cinco anos, no afã de mudar a gestão a qualquer custo e para não parecer que estava promovendo uma profissionalização apenas de fachada, eu havia me imobilizado na presidência do conselho, deixando os presidentes soltos e com autonomia para decisão. Não funcionou. Por quê? Porque nós podemos delegar a direção de uma empresa, *nós podemos delegar a execução de uma tarefa, mas nós não podemos nunca delegar as responsabilidades de representantes dos acionistas, dos donos da companhia.* Não podemos deixar que o executivo tome decisões com as quais não concordamos, e que sabemos que não serão benéficas para a empresa.

Anunciei que, a partir daquele momento, eu mudaria a minha maneira de atuar. O presidente-executivo continuaria com autonomia, mas, nos casos de divergência sobre determinadas decisões, eu teria de ser convencido de que ele estava certo e eu, errado. Se ele não conseguisse me convencer, prevaleceria o meu ponto de vista e eu assumiria a responsabilidade por aquela decisão. Eu disse para uma plateia atônita: "Daqui para a frente, tudo o que der certo no Pão de Açúcar, creditem ao CEO. Tudo o que der errado debitem da conta do Abilio Diniz". Assumi a responsabilidade porque estaria vigilante e não permitiria mais erros.

Galeazzi foi contratado por dois anos e, nesse período, ele e eu formaríamos dentro do próprio Pão de Açúcar o presidente que seria seu sucessor. Trabalhando lado a lado, inauguramos um novo momento na empresa, que contemplava a minha experiência e o meu conhecimento no setor de varejo. Juntos conseguimos ganhos visíveis de eficiência, de competitividade e de lucratividade, reduzindo custos e afinando os processos. Os resultados do Pão de Açúcar em 2008 e 2009 foram espetaculares. Somando a idade do Galeazzi com a minha, eram 140 anos de experiência, que foram fundamentais para prever e enfrentar a forte turbulência financeira internacional daqueles anos. Demos robustez ao caixa da companhia, reduzimos drasticamente os investimentos e adotamos a posição cautelosa do *wait and see*. Resultado: quando o vendaval financeiro passou, tínhamos dobrado o tamanho do Pão de Açúcar.

Eu estava confiante de que a empresa estava pronta para dar novos passos. Em junho de 2009, adquirimos o Ponto Frio, a segunda maior rede de varejo de eletroeletrônicos do país. Esse movimento nos fortaleceu muito, principalmente no setor de hipermercados. Pouco tempo depois, em setembro do mesmo ano, ao saber que um dos membros da família Klein havia se desligado das Casas Bahia, propus ao filho do fundador, Michael, que examinássemos a possibilidade de algum tipo de associação entre as duas empresas. Ele concordou e — juntamente com seu pai, Samuel, e seu filho, Rafael — acertamos o negócio. Em dezembro de 2009, o grupo Pão de Açúcar e as Casas Bahia se juntaram. Nossa empresa, em pouquíssimo tempo, dobrava novamente o tamanho e o valor de mercado. Os excelentes resultados desses dois anos provaram a eficiência da gestão profissionalizada, especialmente quando ela é madura e trabalha harmonicamente em espírito e direção com os acionistas.

Assim, chegamos a 2010. Havia muito tempo que eu dizia para mim mesmo: "Já jogamos o campeonato regional e o campeonato brasileiro, está na hora de jogar o campeonato mundial". A companhia estava extremamente fortalecida. Depois das grandes aquisições do ano anterior, chegara a hora de dar um novo grande passo. Com isso em mente, comecei a trabalhar para fazer uma fusão do Pão de Açúcar com o Carrefour, no Brasil. Mas o objetivo final era sermos o principal acionista do Carrefour internacional.

O Carrefour, naquela época, era o maior varejista da Europa e o segundo maior do Brasil, com supermercados, hipermercados, e com a grande estrela da companhia, o Atacadão, que nós havíamos tentado comprar em 2007, mas que acabou sendo adquirido por eles.

A aproximação entre as duas empresas começou de maneira muito positiva. O negócio seria sensacional, um ganha-ganha para todas as partes: para o GPA, para o Carrefour global e todos os seus acionistas, e inclusive para o Grupo Casino — meu sócio no Pão de Açúcar desde 1999 —, que se tornaria acionista da segunda maior empresa de distribuição do mundo.

Mas, ao final, quando estávamos próximos da concretização desse grande projeto, meu relacionamento com o Casino se deteriorou e me colocou numa das minhas piores crises profissionais. Em pouco tempo, eu teria que aprender uma das lições mais difíceis pelas quais passei: depois de chegar muito perto de atingir o ponto culminante de uma grande montanha, despenquei de lá de cima.

* * *

Para entender bem o contexto de toda a história e da rumorosa disputa que se seguiu, precisamos recuar alguns anos, até a metade dos anos 1990. Em 1994, encerrou-se o capítulo da grande disputa familiar que tive com os meus irmãos, que foi muito dolorida para mim, mas que tive de enfrentar para salvar o Pão de Açúcar. Nos dez anos seguintes, com a saída dos meus irmãos Alcides e Arnaldo, as únicas pessoas da família que permaneceram realmente ligadas à companhia foram meu pai, Valentim dos Santos Diniz, presidente de honra do conselho de administração, e eu. Era muito bom ver a figura paterna ali depois da crise que tivemos na família. Meu pai sempre foi um grande companheiro. Ele continuava como acionista, assim como minha irmã caçula, Lucila. Mas, ao contrário das ações de minha propriedade, as deles não tinham liquidez.

As minhas ações estavam numa companhia de capital aberto, com valor de mercado. Elas poderiam ser vendidas a qualquer momento, por mim ou pelos meus herdeiros. Já as participações acionárias do meu pai e da minha irmã estavam numa holding de família, que controlava essa companhia de mercado, ou seja, não tinham nenhum valor estipulado ou liquidez.

Um dos meus objetivos foi sempre o de dar a eles, em especial no caso do meu pai, a possibilidade de usufruir financeiramente de todo o crescimento que o Pão de Açúcar vinha obtendo. E um dos maiores desejos do meu pai era fazer a doação, ainda em vida, da sua parte na empresa para os outros filhos. Tomei a vontade de meu pai como um objetivo e comecei a desenhar com meus sócios do Casino uma fórmula para transferir as participações acionárias dele e da Lucila da holding da família para a CBD (Companhia Brasileira de Distribuição, razão social do Pão de Açúcar), a empresa realmente listada na Bolsa de Valores.

Em 2005, chegamos a um acordo com o Grupo Casino para promover a reestruturação da companhia e executar esse meu plano de dar liquidez para a minha família. O contrato que estabelecia as regras da reestruturação acabou se tornando mais um daqueles fatos extremamente marcantes em minha vida, que teriam consequências drásticas em anos futuros. Mas naquela época eu não pude prever todas as suas implicações. Resumidamente, trocamos as ações de meu pai e minha irmã por ações preferenciais da CBD, com liquidez, podendo ser vendidas no momento em que quisessem. Meu pai finalmente pôde fazer a doação aos seus filhos e morreu, em 2008, tendo realizado seu grande desejo.

Mas, para poder viabilizar a operação, o Casino, que até então detinha 23% do Grupo Pão de Açúcar, fez um novo aporte de capital e passou a controlar 50% das ações, com direito a voto. Passou também ao cocontrole da companhia, junto comigo. E mais: no nosso acordo, eu me comprometia a deixar, dali a sete anos — mais especificamente, em 22 de junho de 2012 —, o controle isolado da empresa nas mãos dos franceses, por meio da transferência simbólica de uma única ação. Eu permaneceria como presidente do conselho de administração, abrindo novas frentes de negócios e ainda como o responsável pela estratégia do GPA, orientando os executivos e continuando a ditar o destino da companhia.

Às vésperas de fechar a negociação com o Casino, vislumbrei um cenário para o futuro que quase me fez desistir de tudo aquilo. Ao final do nosso acordo, em 2012, estaria com 75 anos. O que aconteceria se naquele momento futuro eu ainda me sentisse bem disposto e motivado para continuar os negócios? E se a empresa ainda estivesse em crescimento e eu sentisse que deveria permanecer à frente do Pão de Açúcar no mesmo ritmo de sempre? O que faríamos?

Com essas dúvidas na cabeça, fui a Paris conversar com Jean-Charles Naouri, o controlador do Casino. Eu já o conhecia desde 1999, época em que começamos nossas primeiras conversas para a futura sociedade. Até aquele momento, nossa relação sempre fora cordial. Ele era uma pessoa fechada, distante, mas que me parecia extremamente correta. Preocupado com a possibilidade de o negócio ser desfeito, Naouri me garantiu firmemente que eu nunca deixaria o comando do Pão de Açúcar se não quisesse, que poderia continuar trabalhando como presidente do conselho e tocando a empresa do jeito que vinha fazendo até ali. As garantias verbais dele foram confirmadas pelo contrato redigido pouco tempo depois. A elaboração desse contrato, a maneira como ele foi feito e o seu conteúdo foram aquilo que eu classifico como o maior erro da minha vida empresarial. Não dediquei a ele toda a atenção que merecia, não me detive em todos os detalhes, não fui na profundidade necessária e permiti que muitas questões ficassem em aberto ou sujeitas a uma dupla interpretação. Isso me causou problemas seríssimos mais adiante.

À medida que se aproximava a data para a transferência do controle, no entanto, o relacionamento com o Casino ia se deteriorando. Naouri, que sempre apoiou minhas decisões, passou a se recusar a examinar qualquer proposta que fugisse ao contrato feito em 2005, mesmo que os novos projetos trouxessem benefícios tangíveis para o Pão de Açúcar. Paralelamente, eu acreditava tanto que uma possível evolução na negociação com o Carrefour seria vantajosa para a empresa que continuava conduzindo sozinho as conversas com o grupo. Na minha cabeça, eu não poderia imaginar outro cenário senão o de que Jean-Charles Naouri, ao tomar conhecimento do negócio, vislumbraria todos os seus desdobramentos e o receberia com satisfação. Como eu estava enganado.

4. Reviravoltas

Em 29 de junho de 2011, eu estava no voo de Paris para São Paulo, eufórico e vibrante como um jogador de futebol que marcou um gol de placa e corre para o abraço com os companheiros e para a celebração com a torcida. Horas antes, na capital francesa, eu havia fechado o maior negócio da minha vida: a fusão do GPA com o Carrefour Global. Mais do que uma transação espetacular, a tacada tinha ainda um valor simbólico importantíssimo para mim: foi com o Carrefour que, em 1967, aprendi que existia um negócio chamado hipermercado. Por mais de 25 anos, a rede francesa foi o concorrente que mais me deu trabalho no Brasil. Sua aquisição possibilitava, além do salto gigantesco no faturamento do grupo, a transformação do Pão de Açúcar em um *player* internacional de peso, apto a disputar — e até vencer — o campeonato mundial.

O avião aterrissou em São Paulo por volta das quatro horas da madrugada. Quando cheguei em casa, Geyze e os meninos estavam dormindo. Ainda cheio de adrenalina, troquei de roupa e fui para a esteira. Corri por uma hora, tomei banho. O dia estava clareando quando me sentei à mesa para tomar o café da manhã e ler os jornais. Ainda não havia tomado o primeiro gole de suco quando leio a notícia estampada no *Estadão*, na *Folha* e no *Valor*: Abilio Diniz compra Carrefour com dinheiro do BNDES. Meu coração disparou. Vi o mundo desabar. Eu não era o herói de um grande negócio como havia fantasiado durante todo o voo de Paris a São Paulo. Eu estava sendo retratado pela imprensa como um traidor da pátria que estava usando dinheiro público para proveito privado. Ao longo do dia, fui massacrado em todos os meios possíveis — por telefone, carta, e-mail, twitter, blogs, reportagens na internet. Fui criticado pelo governo, pela iniciativa privada, pessoalmente (por gente que eu conhecia e também por quem não conhecia). Apanhei no Brasil e no exterior.

Para piorar a situação, naquele mesmo dia eu tinha de ir a Brasília, para uma reunião da Câmara de Gestão, Desempenho e Competitividade — órgão composto por ministros e empresários que tinha o objetivo de aprimorar a gestão pública no país. Todo mundo havia lido o noticiário e todos tinham uma pergunta a me fazer. Por que o BNDES, o Banco Nacional de Desenvolvimento Econômico e Social, um órgão público de fomento, havia entrado no negócio, e com uma soma expressiva? Não, eu não estava rapinando dinheiro dos cidadãos brasileiros. Sim, havia investimento de capital do banco, mas não havia nenhum favorecimento, e a operação poderia ser altamente lucrativa para eles. A história do Pão de Açúcar justificava a expectativa de que, uma vez concluído o negócio, as ações tivessem uma valorização meteórica — entre 1995 e 2012, o valor da companhia aumentara trinta vezes! Além disso, era só se informar melhor sobre os termos da negociação e confrontá-los com o pregão do dia: o banco de desenvolvimento brasileiro havia comprado cada ação ao preço de R$ 67,50 e ela já estava valendo R$ 74,00. Não demoraria para bater na casa dos três dígitos. Mas o estrago, em tom de escândalo, já estava feito. Quanto mais eu respondia e tentava explicar, mais repúdio atraía. No meio da tarde o governo já tinha encampado o discurso geral e ministros passaram a expressar má vontade em relação à aquisição do Carrefour. À noite, voltei para São Paulo no mesmo avião em que horas antes eu havia sonhado conquistar o mundo. O sonho estava desmoronando. Fui do céu ao inferno sem escalas.

Esse dia terrível seria apenas o primeiro de duas semanas tenebrosas. A bola de neve virou avalanche e arrasou o acordo que eu havia alinhavado com tanto empenho. Pressionado pelo governo, pelo Casino e por parte da opinião pública, o BNDES desistiu do negócio.

Isso selou a impossibilidade de concretização do acordo. Desde o começo de 2011, o BNDES — por meio do BNDESPAR, sua sociedade de participações — sempre demonstrou enorme entusiasmo pela transação. Foi extremamente atuante e participativo. Negociou duramente o preço pelo qual ia comprar suas ações. Fez isso com competência e profissionalismo. Diga-se de passagem, nós teríamos tido condição, naquela altura, de ter feito o negócio mesmo sem a participação do BNDES. Não teríamos dificuldade de atrair outros investidores do mercado internacional para complementar o capital necessário para a conclusão de um negócio tão atraente e tão promissor, mas o BNDES havia se mostrado um parceiro muito entusiasmado e empenhado.

Quando faltavam cerca de quinze dias para finalizarmos o negócio, no entanto, as primeiras notícias da fusão vazaram na França, e o comportamento do banco endureceu de forma inesperada. O BNDES propôs a inclusão de uma cláusula em que era indicado claramente que, se o grupo Casino não estivesse favorável ao negócio, ele não se realizaria. Nós a aceitamos, achamos que aquilo não seria importante, mas foi um elemento crucial. Fatos novos que surgiram desde então ajudam a entender essa mudança de comportamento. Mas acho que não vale a pena ficar remoendo essa história.

Quando a operação foi finalmente torpedeada pelo Casino, e o BNDES a deixou, ainda poderíamos ter refeito o negócio com outros sócios. Naquele momento, um banco de investimentos, nosso parceiro na época, imediatamente conseguiu sondar, em apenas três dias, investidores para cobrir a parte do BNDES. Mas, do jeito que as coisas estavam, não adiantava só atrair novos parceiros. Seria preciso reconstruir inteiramente o contrato, que previa o banco de desenvolvimento como um dos sócios. Com o clima hostil e os ataques do Casino, àquela altura constatamos que o negócio não dava mais para ser amarrado. E eu já estava totalmente mergulhado na crise com o Casino, tentando recompor a relação com meus sócios franceses.

A deterioração do meu relacionamento com Jean-Charles Naouri nesse período foi contada muitas vezes de maneira unilateral pela imprensa que cobriu o caso, mas o que não foi dito é que o procurei dezenas de vezes para conversarmos sobre o assunto na tentativa de entender o que estava acontecendo, e de reiterar o nosso compromisso de que eu seguiria conduzindo a empresa no conselho de administração. Como disse anteriormente, ele havia me assegurado várias vezes que, depois de 2012, tudo ficaria como sempre havia sido na nossa sociedade. Mas, à medida que o tempo passava, ele ia se fechando ao diálogo. Eu tentava conversar com ele, e ele me enrolava. Aos poucos, aqui e ali, uma sociedade que tinha sido prazerosa e lucrativa para a empresa foi perdendo o brilho. As rusgas e os ressentimentos tomaram conta da nossa relação. Como o negócio com o Carrefour representava uma operação grandiosa, eu acreditava que seu êxito levaria à possibilidade de Naouri e eu voltarmos aos bons tempos de diálogo e confiança mútua.

É verdade que ele não via com bons olhos a aproximação com o Carrefour. Mas, no início, ele também havia discordado da aquisição do Ponto Frio e das Casas Bahia e, quando deu certo, ele exultou. Minha expectativa era de que esse comportamento voltasse a se repetir, ou seja, que ele se renderia à lógica dos negócios. Para ser sincero, eu apostava todas as minhas fichas nisso. Com a espetacular valorização que a nossa empresa teria na Bolsa de Valores, ele passaria a enxergar o óbvio: se eu continuasse no comando, não pararíamos de crescer. O Pão de Açúcar dobraria de tamanho novamente e passaria a competir pela liderança do mercado mundial em seu segmento de atuação.

A fusão com o Carrefour havia sido profundamente estudada por nós, com toda a convicção de que seria um grande negócio. Durante todo o tempo, eu dizia: é preciso pensar no dia seguinte, e não apenas em como vamos realizar o negócio. Era preciso entender se ele era viável, se era bom, se contemplava bons resultados para todos os envolvidos. Nossos estudos foram minuciosos. Tínhamos analisado o Carrefour, àquela altura, país por país, loja por loja, detalhando o que era a empresa e quais sinergias poderíamos buscar na fusão com o Pão de Açúcar. Foram pelo menos dois anos de trabalho.

Depois que o projeto foi atacado por todos os lados, Naouri convocou uma reunião do conselho de administração do Casino em Paris, inclusive com a minha participação, para torpedear formalmente a negociação. Num clima extremamente hostil, o nosso trabalho de dois anos foi destruído em meia hora por um grupo de consultores mal-intencionados, mal informados, contratados por Jean-Charles Naouri. O conselho reprovou a transação e, poucas horas depois, o BNDES divulgaria a sua saída da operação.

Com isso, o estopim estourou e tive com Naouri a nossa pior discussão em treze anos de sociedade. Não havia mais como medir as palavras. Estourei:

— Jean-Charles, eu estou de saco cheio. Você fechou os olhos e se recusa a enxergar o óbvio. Nós perdemos o maior negócio de nossas vidas por sua causa. Você detonou a operação, despejou um caminhão de ofensas sobre mim, fez um estardalhaço para impedir a compra do Carrefour.

Desconfortável, em silêncio, ele apenas me olhava. Eu prossegui:

— Pois então, Jean-Charles, me diga: como é que ficamos a partir de agora? Você precisa oferecer uma solução que seja boa para mim, para você e para a empresa. Se o melhor para nós for acabar com a sociedade, for o divórcio, vamos nessa.

— Você está falando sério?

— Estou.

— Então vamos ver isso — sentenciou.

Com esse diálogo, travado em tom de desafio, desataram-se as últimas amarras da nossa relação. Eu me via em uma situação insólita. Vinte dias antes eu tinha tudo engatilhado para ter dois sócios franceses poderosíssimos. Agora, eu não só tinha perdido o Carrefour como caminhava para ficar sem o Casino. Não fazia a menor ideia aonde isso chegaria e não parava de pensar: Como foi que, aos 75 anos, com toda a minha experiência, consegui ser engolfado por esse tsunami? Foi então que me lembrei, mais uma vez, de três frases marcantes que meu pai me dizia:

"Abilio, prefiro que você atravesse no farol vermelho com cuidado do que passe no verde sem olhar para os lados."

"Não deixe nada ao acaso."

"Amarre tudo muito bem, nunca deixe pontas soltas."

Este foi o meu maior erro empresarial: a elaboração do contrato de 2005 com Jean-Charles Naouri. Eu deveria ter escutado o meu pai.

5. Sucesso e superação

"Não deixe nada ao acaso nem pontas soltas" poderia ser uma frase banal se não tivesse saído da boca de um homem que começou do nada e, quando morreu, em março de 2008, aos 94 anos, era um dos principais empresários do país, presidente do conselho de administração de uma companhia que faturava mais de R$ 17,5 bilhões.

Ex-entregador de mercadorias, ex-sócio de padaria, ex-dono de armazém, empreendedor, fundador de doceiras e rede de supermercados, meu pai sempre se preocupou em não deixar nenhuma ponta solta, e sabia como os detalhes podem fazer toda a diferença, para o bem ou para mal. Mais do que uma frase de efeito, "não deixe nada ao acaso nem pontas soltas" era uma filosofia de vida e diretriz nos negócios.

Ele sempre me dizia frases muito sábias. Algumas parecem inusitadas, mas carregam muito de seu conhecimento. Há uma curiosa, que às vezes gosto de citar, e as pessoas até estranham. Ele dizia: "Quem trabalha muito não tem tempo de ganhar dinheiro". É uma verdade; quer dizer, aquele que só põe a mão na massa, só se concentra no lado operacional, que não para, não pensa, não medita, tem mais dificuldade de conquistar suas metas. É preciso raciocinar, desenvolver um lado estratégico e só depois passar para a operação, se quisermos resultados mais sólidos.

Valentim dos Santos Diniz, meu pai, nasceu em agosto de 1913 numa aldeia ao norte de Portugal chamada Pomares do Jarmelo. Veio para o Brasil ainda jovem, com dezesseis anos, estimulado pelas cartas de um tio-avô que havia construído uma vida nova por aqui.

Da longa viagem de navio, uma cena marcante ficou na sua memória. Ao passarem pelo Rio de Janeiro, ele avistou uma formação rochosa de beleza incomum. "É o Pão de Açúcar", disse um dos passageiros. Nem a imagem nem o nome nunca mais lhe saíram da cabeça.

Meu pai desembarcou em Santos com a roupa do corpo, uma mala feita de papelão e pouco mais do que alguns trocados no bolso. Em São Paulo, seguiu para a Mooca, onde morou e trabalhou com seu tio-avô, que nunca tinha visto antes de chegar ao Brasil, funcionário da próspera cervejaria Companhia Antarctica Paulista.

Por indicação de um conhecido, apenas duas semanas depois de sua chegada, foi contratado por Januário Mascarenhas Miranda, o seu Miranda, também imigrante português, para ser entregador e caixeiro no Real Barateiro, um empório que vendia no atacado e no varejo, localizado na avenida Brigadeiro Luís Antônio, na esquina da rua Tutoia.

Nas primeiras horas do dia e por toda a manhã, percorria as ruas do bairro, anotando pedidos nas casas mais abastadas. Depois, de bicicleta, voltava às residências para entregar as encomendas. De noite, ainda lavava garrafas e engarrafava vinho. Tinha apenas meio domingo de folga.

Os anos se passaram. Meu pai foi adquirindo prática e se tornou um empregado de confiança. Mas ele queria ser dono do próprio negócio. Com o dinheiro que havia juntado, ele comprou uma mercearia na frente do Colégio Santo Agostinho, na rua Vergueiro.

Apesar de já ser dono do próprio negócio, meu pai continuava descontente. Em pouco tempo, o mercado tinha triplicado o faturamento, mas ele estranhava e se ressentia da mudança do perfil do público. Antes, os ricos clientes do atacado do Real Barateiro fechavam grandes volumes de compra. Agora, na Vergueiro, eram trabalhadores que faziam compras pingadas, e a prazo, geralmente anotadas na caderneta e saldadas no final do mês, o que nem sempre acontecia. "Tenha paciência, as coisas vão melhorar", dizia-lhe a esposa.

Nesse cenário, no dia 28 de dezembro de 1936, eu nasci, o primeiro filho do casal seu Valentim e dona Floripes. Cerca de uma semana depois, seu Miranda, o dono do Real Barateiro, bateu à porta de casa com uma proposta.

Ele pensava em parar de trabalhar e, para garantir o futuro e a aposentadoria, sua ideia era abrir ali, no mesmo lugar, uma nova empresa, uma panificadora — a padaria Nice —, da qual seria o investidor majoritário. O negócio em si seria gerenciado por duas pessoas, que precisariam apenas de seu trabalho e empenho para se tornarem sócias minoritárias. Uma delas era meu pai.

A padaria Nice logo fez sucesso com o público endinheirado da região. Tornou-se uma referência de bom atendimento e produtos de qualidade no bairro. Mais tarde, com a aposentadoria de seu Miranda, meu pai se tornou dono de 50% do próspero negócio. Em 1945, nove anos depois de inaugurada, a padaria Nice era uma das mais bem frequentadas na cidade.

Desde que posso me lembrar, estou sempre às voltas com caixas registradoras, pedidos e mercadorias em exibição. Foi nesse ambiente comercial que cresci, um ambiente que permeou minha infância e, de certa forma, me definiu. Como disse no meu primeiro livro, não foram cem ou duzentas vezes que me vi com a mão na massa, preparando receitas de doces e salgados na doceira antes de ir para a aula.

Se em casa eu era querido e valorizado, na rua o meu mundo protegido desabava. Minha infância foi muito difícil. Eu era baixinho e gordinho, sem amigos, tinha problemas na escola.

Naquele tempo, a única razão que me conferia alguma notoriedade no meio da meninada era minha habilidade no futebol. Mesmo sem físico de atleta, eu jogava razoavelmente bem como goleiro. Um vizinho havia me dado uma bola de capotão de presente, o que era um artigo raro. Foi com ela que joguei algumas partidas memoráveis no campinho de terra batida da escola e na calçada na frente de casa. O gol era o espaço entre o poste de luz e a parede. E eu sabia defendê-lo muito bem. Gostava de saltar e de fazer defesas arrojadas; aquilo me dava prazer e prestígio com a molecada.

Num dia de muita tristeza, minha bola acabou destruída por um carro que passava pela rua Tutoia justamente na hora do jogo. Mesmo assim, continuei tendo lugar nos times. O talento para o futebol foi fundamental para mim. Foi graças a essa habilidade que consegui atravessar a fase seguinte da minha vida.

Na época em que concluí o curso primário, meu pai havia vendido sua parte na padaria Nice e comprado outra, a Lalys, na rua Tamandaré, bairro da

Liberdade. Perto dali existia um colégio chamado Anglo Latino, no qual meu pai me matriculou para cursar o primeiro ano ginasial. Era uma questão de conveniência. Bem cedo, ele me levava de casa para a escola e depois seguia para a padaria. A mudança de bairro transformou a minha vida. Passei a viver num outro mundo, nada amistoso, agressivo e até mesmo violento. Muitos de meus novos colegas eram autênticos moleques de rua. Foi àquele "paraíso" que cheguei e no qual logo me transformei numa espécie de saco de pancadas. Eu era perseguido dentro e fora da sala de aula. Quis deixar os estudos, pedi para meus pais encontrarem outro colégio, procurei me esconder de meus colegas, enfim, tentei de tudo, mas meus pais não permitiram que eu saísse da escola, e meu calvário prosseguiu.

Não havia dia que eu voltasse para casa sem ter levado algum tipo de pancada, sem ter sofrido algum tipo de humilhação. Aquilo me machucava muito mais a alma do que o corpo. Com o tempo, comecei a mostrar para aqueles garotos que eu, mesmo gordo e desajeitado, era um bom goleiro, e isso me proporcionou certa tranquilidade. Na hora de formar os times, passei a ser um dos primeiros escolhidos.

Mesmo assim, ainda me sentia indefeso. Afinal, jogávamos bola na várzea do Glicério, lugar frequentado por gente habituada a resolver pequenas pendências pela força. Por muito tempo, me desafiavam para a pancadaria, me encostavam à parede, me ameaçavam de todo jeito. O mais estranho é que, mesmo enfrentando esse tipo de dificuldades, eu não evitava a rua.

Gradualmente, a situação financeira de meu pai foi ficando um pouco mais tranquila. Ele resolveu, então, levar a família para visitar os parentes em Portugal. Ficamos seis meses por lá. Aquilo me custou um ano inteiro de escola. Na volta, retornei ao bairro da Liberdade e, para meu suplício, ao mesmo colégio do qual havia saído. Mas eu já estava maior, um pouco mais seguro.

Com o tempo, meu pai me autorizou a voltar para casa sozinho. Pegava o bonde na rua da Glória e seguia até a praça João Mendes. Caminhava até o largo de São Francisco, tomava um ônibus que percorria toda a Brigadeiro Luís Antônio e me deixava perto de casa. Entre uma condução e outra, comecei a explorar o centro da cidade. Um dia, caminhava pelas proximidades da praça Clóvis, quando vi no palacete Santa Helena, na rua Benjamin Constant, a placa da academia Ono. Ali eram oferecidos cursos de judô, capoeira e caratê — uma arte marcial ainda pouco conhecida no Brasil. No mesmo prédio, ficava a academia Zumbano, um dos principais centros de boxe do país. Foi ali que o campeão Éder Jofre começou a dominar a técnica que faria dele um dos maiores lutadores do mundo de todos os tempos. Percebi que poderia estar ali a solução de meus problemas. Na hora de escolher qual daquelas modalidades deveria praticar para deixar de ser um saco de pancadas, não tive dúvidas. Escolhi todas.

O começo foi suado, mas logo me dei conta de que gostava de manter o corpo em movimento. Também comecei a me sentir bem mais relaxado depois das aulas. Após certo tempo, emagreci e espichei. Além da preparação para a luta, passei a complementar o treinamento físico com aulas de musculação na academia Atlas, que ficava na Brigadeiro Luís Antônio, na sobreloja de um cinema chamado Arlequim. Não lembro exatamente como, mas foi naquela época que tomei uma decisão: nunca mais voltaria a apanhar de ninguém. Jamais voltaria a me acanhar diante das ameaças que sofresse. Dali em diante, quem me ameaçasse receberia o troco.

Passei a ser respeitado na várzea do Glicério, e no dia em que acertei as contas com um de meus principais algozes, você pode imaginar o prazer que senti ao revidar, após tanto tempo de sofrimento. Certo ou errado, naquela época eu acreditava que a força bruta, a disposição para a pancadaria e a noção de que o ataque não era apenas a melhor solução, mas a única possível, me tornavam indestrutível. Abrir o caminho na base da cotovelada poderia ser — por que não? — um meio de me tornar um vencedor. Começou a nascer ali o Abilio que, anos mais tarde, comecei a questionar.

Prestes a iniciar a quarta série do ginásio, aos quinze anos, me transferi para o colégio Mackenzie e comecei a me destacar nos esportes. De goleiro razoável, me transformei num arqueiro corajoso, do tipo que não tremia diante do ataque adversário. O tempo de saco de pancadas da molecada havia ficado definitivamente para trás e aquilo, com toda sinceridade, me enchia de orgulho.

É lógico que a história dessa primeira metamorfose envolve muito mais detalhes do que este relato comporta. Aquilo foi cercado por uma série de decisões doídas, estimuladas por sensações nem sempre positivas. Mas, de qualquer maneira, o novo sujeito em que me transformei me fez conhecer algo que, para mim, era inteiramente novo: a autoestima. Passei a me admirar e, mais do que isso, a me considerar invencível. Cada vitória me tornava um pouco mais autossuficiente — e agressivo.

Concluí o ensino médio e fui estudar na recém-criada Escola de Administração de Empresas da Fundação Getulio Vargas. Continuei também me aplicando aos esportes. Creio que, durante o tempo em que estive lá, fui o único estudante da FGV a conquistar uma medalha esportiva nos Jogos Universitários Paulistas. Fui vice-campeão de levantamento de peso. Ao mesmo tempo, me encantei pela vida acadêmica e me tomei de admiração pelos professores americanos, todos ligados à Michigan State University, que vieram para o Brasil nos primeiros anos da FGV.

Esforcei-me nos estudos e tracei meu próprio caminho. Decidi que, quando concluísse minha graduação, iria para os Estados Unidos, de onde voltaria ph.D. em economia. Eu me tornaria um intelectual, um professor — algo que, na minha cabeça, me daria o prestígio que me fora negado até ali. Cheguei a fazer um *application* para a Michigan State University e estava decidido a seguir esse caminho quando meu pai me chamou para uma conversa séria.

Eu era o primogênito, com quase sete anos de diferença para o Alcides, o segundo filho, e trabalhava com meu pai desde os treze anos. Naquela época, no final dos anos 1950, meu pai já tinha a doceira Pão de Açúcar, e havia construído um predinho de dois andares ao lado do negócio. No andar de cima, ele faria um salão de festas da doceira. No térreo, havia espaço para uma loja. Ele pensou inicialmente em fazer ali um cinema, depois pensou em alguns outros negócios, mas nada me atraía. Até que um dia ele chegou para mim e disse: "Meu filho, estou pensando em fazer aqui um supermercado".

Eu não tinha a menor ideia do que era aquilo e fui procurar entender que tipo de negócio era esse. Visitei os poucos supermercados que existiam, na época, em São Paulo: oito lojas do Peg-Pag e duas do Sirva-se. Quando vi aquelas lojas, disse ao meu pai: "Aqui nós temos um negócio. Temos chance de fazer algo importante". E decidi deixar para depois os meus estudos nos Estados Unidos.

O momento era favorável para os empreendedores. O país estava se desenvolvendo, se industrializando, e a oferta de empregos crescendo nos setores público e privado. Pelo menos no papel, os cálculos demonstravam que o supermercado era viável. Se fizéssemos tudo certo, o negócio poderia ter futuro. Comecei mesmo a ter convicção de que daria certo, a querer desenvolver aquilo. Eu tinha 22 anos.

Assim, no dia 14 de abril de 1959, ao lado de sua doceira e debaixo de seu salão de festas, a família Diniz inaugurou a primeira loja do Pão de Açúcar, com 29 funcionários, 2500 itens e um grande luminoso vertical com a palavra "supermercado", essa grande novidade para a maioria dos moradores da cidade, para meu pai e para mim.

Não sei o que teria sido da minha vida se eu tivesse insistido no sonho de me tornar um intelectual. O que eu posso afirmar é que nem por um momento me arrependi da escolha que fiz. Fiquei encantado com o novo negócio. Logo de início, percebi que minha vida havia tomado um rumo diferente e que seria muito difícil retomar o caminho que eu havia traçado inicialmente. Agora, eu era um homem do varejo.

Sempre fiz meu pai participar das decisões. Mas, na hora da execução, era comigo. Além de gerenciar o negócio, cuidar das compras e controlar a entrada e a saída de dinheiro, eu fazia o que precisava ser feito no dia a dia. Perdi as contas de quantas vezes recebi caminhões de entrega, fiquei no caixa e arrumei produtos nas prateleiras. Aprendi a desossar e cortar grandes peças de carne, daquelas que ficam suspensas em ganchos, para separá-las em picanha, coxão mole, maminha, acém (até hoje sei um bocado sobre cortes de carne). Tudo mais que um supermercado exige, eu fiz. Acredite, a última coisa que existiu naqueles tempos foi glamour.

Na entrada da saleta que era o nosso escritório, havia um balcão, no qual recepcionávamos os fornecedores. Isso era tudo que havia na sala da cúpula da empresa. Secretária nem pensar, nem ar-condicionado. Eu não tinha salário, apenas fazia retiradas para pagar as contas e manter minha família.

Na época, eu e Auri, minha primeira mulher, morávamos numa edícula que meu pai construiu nos fundos do supermercado. A edícula tinha dois andares. Na parte de cima, ficava minha casa. Na parte de baixo, os vestiários e os sanitários dos funcionários do Pão de Açúcar. Entre a doceira e o supermercado, havia uma porta que dava acesso a um corredor escuro e estreito, pelo qual se chegava à edícula. Morei ali por três anos. Foi nesse período que, em 1961, nasceu Ana Maria, minha filha mais velha.

O primeiro supermercado do Pão de Açúcar deu certo desde o dia em que abriu as portas. Somente quatro anos depois viria o segundo, na Vila Buarque, em frente ao Mackenzie. Veio o terceiro, na praça Roosevelt, o quarto, o quinto e muitos outros. Quando nos demos conta, havíamos deixado para trás o Peg-Pag e o Sirva-se. Nós nos tornamos os maiores. Éramos respeitados como comerciantes. Havíamos chegado a um ponto que nem nós mesmos supúnhamos alcançar quando iniciamos aquela jornada.

O sucesso num ramo de negócios de extrema visibilidade e de muito prestígio, que tinha a cara de um país que se modernizava em ritmo acelerado, logo me conferiu notoriedade. A companhia não parou de crescer desde a sua fundação, e eu gostava cada vez mais daquilo que fazia. A viagem que deixei de fazer aos Estados Unidos logo depois de minha graduação acabou sendo realizada mais tarde.

Na época, já pai de dois filhos, embarquei para os Estados Unidos a convite de alguns de nossos fornecedores. Entrei no país pela Califórnia, levado por uma empresa americana que era a antiga fabricante do leite em pó Glória. Fiz estágio numa rede de varejo de lá. Depois, fui para a universidade de Ohio, onde fiz um curso de marketing patrocinado pela National Cashier Register, a NCR, fabricante de caixas registradoras. A jornada terminou na Universidade Columbia, em Nova York, onde fiz um curso de verão em economia. Ao todo, foram seis meses fora do Brasil.

Tudo isso quer dizer o seguinte: a partir do momento em que decidi que nunca mais apanharia de alguém, as coisas passaram a dar certo na minha vida. Passei a não fazer ideia do que era fracasso nem admitia a hipótese de que uma única derrota viesse bater à minha porta. Eu me tornei cada vez mais autossuficiente e, daí para a arrogância, foi só um passo. Essa arrogância se revelava nos detalhes. Na época, costumava dizer a meus amigos que nunca ligava a seta do meu carro porque não tinha de prestar contas a ninguém sobre o lado para o qual eu estava indo. Era assim que minha cabeça funcionava. Só ao longo da vida senti a real necessidade de mudar.

Além disso, continuava um esportista extremamente competitivo. Comecei a me interessar pelas provas de motonáutica no final dos anos 1960 e cheguei a ter um barco de competição que alcançava 110 milhas náuticas por hora — uma velocidade espetacular para a época. Fui tricampeão brasileiro nos anos de 1968, 1969 e 1970. Depois, passei para o automobilismo e tive um bom desempenho nas pistas. Venci, em dupla com meu irmão Alcides, algumas corridas importantes, entre elas as mil milhas de Interlagos, em 1970.

Fui vice-campeão brasileiro em 1971 — mas abandonei os carros de competição ao notar que eu vinha tirando da companhia o tempo que dedicava ao automobilismo. Não é possível ser profissional em duas atividades ao mesmo tempo. Preferi ser profissional no Pão de Açúcar. Aquilo era a minha vida.

6. We have a deal

Revendo toda a minha história, é difícil descrever o choque que senti, tantas décadas depois, quando finalmente me dei conta de que teria de deixar o Pão de Açúcar. Um misto de tristeza profunda e de perplexidade. Como poderia ter chegado a esse ponto, prestes a deixar a companhia tão ligada a mim e à minha família, justamente depois de tantas conquistas, e perto de transformá-la — com a compra do Grupo Carrefour — na segunda maior empresa do mundo no setor de distribuição?

Durante muito tempo, tive dificuldade de entender o que realmente o Casino queria. Desde o começo, quando o Jean-Charles disse, "está bem, nós faremos o divórcio", ficou decidido que encontraríamos uma maneira de fazer essa separação. Se não fosse amigável, pelo menos que fosse factível, que pudesse ser feita. Eu não conseguia entender por que era preciso trazer tanta dificuldade para mim, para a própria companhia e para os executivos. Para conseguir o quê? O fato é que levou mais de dois anos para chegarmos a um acordo.

Tive de aturar todo tipo de provocação de gente colocada na empresa para me desestabilizar. A situação era praticamente insuportável. A tensão era tanta que, em determinado momento, seguindo conselho de minha terapeuta, voltei a lutar boxe como forma de aplacar o enorme desejo de reagir a tantos desaforos.

As situações foram dramáticas. Em meio a brigas judiciais, as reuniões do conselho de administração eram terríveis. O Casino tentava o tempo todo atirar contra mim, enquanto eu tentava me defender e ao mesmo tempo mostrar como estavam destruindo a companhia.

Nesse contexto hostil, decidi trocar meus representantes do conselho de administração. Em 2012, como estipulava o contrato, minha representação no conselho foi reduzida de cinco para três membros. Saíram do colegiado meus filhos Ana Maria e João Paulo, permanecendo eu, minha esposa Geyze, companheira de todas as batalhas, e Pedro Paulo, o filho mais jovem do meu primeiro casamento.

Mas as coisas foram piorando de tal maneira que decidi trocá-los também pelo Claudio Galeazzi e pelo Luiz Fernando Figueiredo. Galeazzi participou de duas reuniões e pediu para sair, alegando que isso poderia prejudicá-lo na sua vida profissional, tal o nível de hostilidade e dificuldade naquele conselho. Com a saída dele, fui buscar o professor Modesto Carvalhosa para o seu lugar.

Na minha última reunião no conselho, que durou cinco horas, fiz uma condução firme dos trabalhos, e Carvalhosa teve uma participação brilhante. Ele foi provocado o tempo todo por Arnaud Strasser, um dos principais homens do Casino, colocado ali para me desestabilizar. Em determinado momento, depois de Strasser falar por longo tempo, o professor Carvalhosa retrucou: "Por favor, senhor Strasser, não se dirija mais a mim. O senhor é sórdido, e não vou mais escutá-lo". Consta em ata.

Conto isso apenas para terem ideia do que foi um dos conflitos empresariais mais violentos do mundo nos últimos anos. Tínhamos três arbitragens em diferentes países, com árbitros dos mais renomados. Tinha a impressão de que todos os grandes escritórios do mundo estavam ou com ele ou comigo, mais com ele do que comigo. Toda a preparação para a arbitragem foi feita em Nova York.

Como disse, foi um momento de muito sofrimento, mas também de muito aprendizado. Muitas coisas que não sabia, tive que aprender, como ficar mais esperto, acreditar menos e desconfiar mais.

Ao final desse longo processo, consegui sair com minha integridade, dignidade e liberdade intactas, assegurando que não haveria cláusula de *non compete*, ou seja, que me impedisse de trabalhar em empresas de varejo. Isso sempre foi um ponto muito importante para mim.

Em 2011, eu tinha me dado conta de que eu e Jean-Charles Naouri não poderíamos continuar juntos em hipótese alguma, porque os nossos valores — muito mais do que nossas ideias — eram completamente diferentes. Tinha entendido também que, se alguém tivesse de sair, esse alguém seria eu. Perceber que você vai ter de deixar a empresa que você construiu, que você criou, desenvolveu, transformou em algo enorme, sensacional, e na qual esteve por mais de cinquenta anos, tudo isso foi um grande choque.

Mas, felizmente, meu sofrimento não durou muito tempo. Logo comecei a pensar: o que é o Pão de Açúcar? Uma empresa maravilhosa e imensa, com quase duas mil lojas e 160 mil colaboradores, que chegou a tudo isso porque dentro dela existia uma cultura e existiam valores, e isso era meu, pertenciam ao meu DNA, ao DNA da família Diniz. Essa cultura, esses valores, esse DNA, não iriam ficar presos ao Pão de Açúcar, eles iriam junto comigo para onde eu fosse. Eu não deixaria o Pão de Açúcar; o verdadeiro Pão de Açúcar é que iria embora comigo. Quando equacionei essa questão, as coisas passaram a ser mais simples. Não eram nada fáceis, mas se tornaram mais simples. Passei a participar do processo todo com mais tranquilidade e a olhar o futuro com otimismo. Afinal, o meu Pão de Açúcar percorreria os novos caminhos comigo, dentro de mim.

O que aconteceu depois? Por que demorou tanto tempo para eu sair da empresa? Não acho que vale a pena explicar em detalhes e remoer essas coisas. Foram anos de muito desgaste. Tive de passar por vários episódios que considero ridículos, mas o que realmente importa é que o desfecho foi libertador. Ele veio em 6 de setembro de 2013, numa manhã de sexta-feira. Eu estava com a minha mulher e os colaboradores mais próximos trabalhando na Península (a empresa que concentra minhas atividades empresariais), quando o negociador William Ury, que foi contratado para nos ajudar na saída da empresa e se tornou um amigo, entrou na sala e disse: "*Yes, we have a deal*". Tínhamos finalmente chegado a um acordo com o Casino. Parecia incrível mas, quase sessenta anos depois, o nome Abilio Diniz não estaria mais associado ao Pão de Açúcar. O pontapé inicial para o acordo tinha sido dado quando Geyze me disse que precisávamos encontrar uma saída diferente daquelas que estávamos tentando até então. "Se você faz sempre a mesma coisa do mesmo jeito, é insanidade pensar que vai obter resultados diferentes", ela me falou, citando uma frase de Albert Einstein. Foi aí que ela sugeriu a ideia de contratarmos William Ury, professor que criou a cadeira de negociação da Harvard Business School. Fomos atrás do Bill e, quatro meses depois, colocamos um ponto final em três anos de sofrimento, de discussões e de grande desperdício de tempo.

Foi um momento de muita emoção. Era a concretização de um trabalho árduo para terminar todas as disputas, mas representava também a separação definitiva da empresa fundada por meu pai e desenvolvida por mim, o lugar onde passei 54 anos da minha vida. Poucas horas depois, assinei o documento de saída e fui ao Pão de Açúcar, pela última vez, dar uma palavra aos executivos na sala compartilhada da direção, na qual tínhamos construído juntos tantas coisas boas. A despedida foi curtíssima. Disse a eles: "Acabei de assinar a minha saída do Pão de Açúcar, chegamos a um bom termo, espero que vocês continuem fazendo o melhor para a companhia. Ela agora tem um novo controlador, ele está aqui presente, espero que vocês façam o melhor e que sejam felizes".

Depois disso, passei o fim de semana me preparando para ir à minha última reunião plenária — reunião que fazíamos todas as segundas-feiras, às sete e meia da manhã, com os principais executivos da empresa. Aquele auditório, na sede da companhia na avenida Brigadeiro Luís Antônio, havia presenciado momentos de muitas alegrias e também de muita tensão. Pedi que a reunião fosse convocada às onze da manhã. Eu não sabia muito bem o que dizer, afinal nunca havia pensado na hipótese de me despedir algum dia do Pão de Açúcar. Até que falei a mim mesmo: "Vai lá e deixa o teu coração falar. Procura não chorar, procura não se emocionar demais, mas fale de dentro de você". E assim fiz.

"Com as notícias todas que saíram nos jornais, vocês sabem o que vim fazer aqui", comecei. "Eu vim me despedir de vocês. E vocês, que me acompanham há tanto tempo, sabem também que tem algumas coisas que eu detesto na vida. São três coisas principais: cebola, despertador e despedida. Então vou ser breve. Mas eu não podia deixar de vir aqui uma última vez, estar com vocês. Eu não podia fazer uma saída à francesa."

Disse também: "O Pão de Açúcar será sempre aquilo que vocês quiserem e forem capazes de fazer. Porque vocês são a força. O Pão de Açúcar é uma máquina. Mas é uma máquina com alma e coração, porque sempre dedicamos aqui os nossos sentimentos. Façam essa empresa crescer. Façam essa empresa ser cada vez mais sólida, cada vez mais importante. Sigam a trajetória de vocês, porque acima de tudo vocês são profissionais. Levem essa empresa para frente".

"A estrada é larga, é ótima, continuem nela", completei. "E não se preocupem comigo. Eu estou bem. Garanto a vocês, digo isso com sentimento do fundo do meu coração. Apesar da tristeza de estar me separando de vocês nesse momento, eu estou bem. Estou bem com a consciência e a certeza de que fiz o melhor para todos, o melhor que eu poderia fazer, que está feito. Com a certeza de que vou continuar também a minha vida enquanto Deus permitir, andando para frente e fazendo aquilo de que gosto, que é empreender, construir, fazer coisas. Então, fiquem bem também. Peço a Deus sempre que os ilumine. Obrigado a todos vocês."

Aquilo, que poderia parecer uma derrota, era na verdade uma grande vitória. A partir daquele momento, passei a ter na minha vida uma grande sensação de liberdade, de poder voar alto, que preservo até hoje. Só consegui superar aquela imensa perda porque ao longo dos anos criei e cultivei os valores e pilares que me preparam não só para enfrentar as dificuldades como também para abrir novos caminhos em meio a elas.

7. Um novo começo

Minha saída do Pão de Açúcar trouxe inúmeros aprendizados. Cinco anos depois do episódio, as questões envolvidas na disputa com o Casino estão muito mais claras dentro de mim. E, com tudo o que tem acontecido no Pão de Açúcar e no Casino, creio que, de modo geral, as pessoas também começaram a compreender melhor aquela disputa.

Costumo ser indagado em minhas palestras e pelos meus alunos do curso de liderança da FGV sobre qual foi o meu maior erro empresarial. Respondo, sem dúvida nenhuma, que foi o contrato que assinei com o Casino, em 2005. Mas não por ter feito o contrato, cujos motivos já expliquei. Errei porque cedi muito, não briguei o suficiente antes de assiná-lo, deixei muita coisa sem estar escrita, negligenciei alguns pontos importantes, não prestei a devida atenção e não coloquei todas as questões de forma clara. O fato de já conhecer os meus sócios havia seis anos não me exime de culpa.

Por isso, hoje ensino aos meus alunos: se há alguma disputa ou potencial divergência entre futuros sócios, é na hora de fazer o contrato que se deve brigar à exaustão. Esse é o momento de expor todas as questões claramente e não deixar nada ao acaso ou passível de dupla interpretação, absolutamente nada. E, se as partes não chegarem a soluções satisfatórias, é melhor não ter contrato nem negócio.

Contratar mal, sem que as coisas fiquem muito bem explicadas, é um sinal de conflitos ainda mais dolorosos à frente. Portanto, a hora de contratar é a hora de esclarecer tudo e não deixar nada ao acaso. Esse é o momento de tirar todas as dúvidas, de ser duro. O pior que pode acontecer é não contratar. Mas será melhor isso do que contratar mal e brigar mais à frente. Essa foi a origem dos problemas que aconteceram depois.

O segundo ponto é como as coisas se passaram desde a assinatura do contrato. O Casino sempre me acusou de arquitetar o negócio com o Carrefour para romper o contrato feito em 2005. Essa versão foi aceita por muitas pessoas à época. Hoje, até porque o tempo é o senhor da razão, as coisas estão muito mais claras. Jean-Charles Naouri, o acionista-controlador do Casino, realmente não me queria no Pão de Açúcar. Se o negócio do Carrefour não tivesse surgido, ele teria encontrado outra maneira de provocar a briga e a minha saída, como fizera com sócios na França e em outros países.

Eu levei mais de dois anos, sofridos, para sair do GPA, como já contei a você. Foram dois anos de muita dificuldade dentro da empresa, aguentando todo tipo de ofensa dos franceses no conselho de administração. Foi um período horrível, mas que também trouxe um aprendizado muito importante: a vida é um conjunto de papéis e atividades, e a sabedoria da vida é você manter esses papéis e atividades em equilíbrio. Não adianta você estar bem numa atividade ou papel e estar mal em outro se esse mal tiver a capacidade de desequilibrar o todo.

Eu tinha uma parte da minha vida realmente muito difícil, que era o meu trabalho no Pão de Açúcar. O que eu fiz? Valorizei o que tinha de melhor — uma família maravilhosa: quatro filhos adultos sensacionais, uma mulher incrível e dois filhos pequenos que são a razão de nossas vidas. Para poder suportar tudo o que estava vivendo no Pão de Açúcar, tive que me refugiar na família, nos meus esportes e também naquilo que realmente me dava prazer e mantinha minha mente e meu corpo saudáveis.

Apoiei-me nos meus valores e nos meus pilares — o amor, a família, a espiritualidade, a busca da felicidade, a atividade física, a alimentação correta, o combate ao estresse. Falarei sobre eles mais adiante.

Procurei separar muito bem o que era importante do que não era importante. Assim, acabei descobrindo que o Pão de Açúcar em si não era tão relevante na minha vida, mas sim os valores que estavam ali dentro e que levaria comigo.

Procurei focar nisso e não me estressar mais do que o necessário. Procurei fazer mais exercícios de autoconhecimento e de avaliação sobre o que se passava dentro de mim e as razões do ocorrido. Fui ainda mais fundo na minha espiritualidade e na minha fé. Sempre estive muito próximo de Deus e procurei estar mais próximo ainda. E, fundamentalmente, olhei com muito carinho para o amor, pois não existe vida sem amor. Amor por tudo o que eu tinha conseguido na vida — pela minha mulher e meus filhos, pela minha saúde, pela capacidade que tenho de fazer as coisas. Nesse contexto, o Pão de Açúcar ficou em segundo plano.

Eu sempre amei o Pão de Açúcar, mas há um momento em que se descobre que há coisas mais importantes na vida, e que é preciso olhar para elas e não ficar lamentando o que se está perdendo.

A distância daqueles fatos deixou claro não só o que aconteceu dentro de mim, mas também o que de fato ocorreu na disputa com o Casino.

Na época mais aguda do conflito, em 2011, fui conversar com alguns poucos empresários, nem todos de meu círculo mais próximo, com o intuito de mostrar o que estava de fato acontecendo. Não era para dar explicações, mas dar uma palavra: Estou aqui, vocês têm interesse em saber o que se passa de fato?

Fui recebido com compreensão e carinho por alguns, mas percebi logo que muitos haviam comprado a mentira do Casino de que o meu objetivo era quebrar o contrato assinado em 2005 com o grupo francês. Sempre me acharam muito criativo e temiam que eu pudesse inovar. Essa falsa percepção era ainda mais forte entre os empresários do setor financeiro, que temiam que eu, com minha capacidade de ação, pudesse fragilizar o respeito aos contratos no país. Para o sistema financeiro, os contratos são tudo. Encontrar maneiras de descumpri-los é sinal de desastre, pois pode criar jurisprudência nesse sentido.

Num desses encontros, com três dos banqueiros mais importantes do país, fui surpreendido com palavras duras, na linha "não inove, não quebre o contrato, se você assinou, vendeu, agora entregue".

Sou uma pessoa que felizmente não guarda rancor nem cultiva o ódio. Esses sentimentos só fazem mal a nós mesmos. Tudo isso já pertence ao passado, mas como será que esses senhores estão vendo as coisas hoje, cinco anos depois? O que acham da deterioração do Pão de Açúcar e do que estão fazendo na companhia, cujo valor das ações desabou diante da falta de seriedade da gestão do Casino?

Está muito claro hoje que Jean-Charles Naouri havia arquitetado muito tempo antes as mudanças que vem implementando no Pão de Açúcar e que estão destruindo o valor da companhia. Ele não seria capaz de conviver comigo dentro da empresa, pois seus métodos são muito diferentes dos meus. Como, por exemplo, o péssimo tratamento dado aos acionistas minoritários, algo que as instituições financeiras deveriam condenar.

A reação dos banqueiros, porém, não foi a única nem a maior surpresa desagradável daquela época. Mais desagradável ainda foi a mudança de posição do BNDES, como já disse. Apesar dos novos fatos que surgiram desde então na imprensa, não me sinto à vontade para especular sobre a mudança abrupta de posição e comportamento do banco. E ficar remoendo essas coisas do passado não leva a nada.

Àquela altura da vida — quando a maior parte das pessoas está se retirando para a aposentadoria —, Deus me deu mais uma demonstração do quanto ilumina o meu caminho. Estávamos em agosto. Eu sentia uma grande tristeza porque os sócios franceses sinalizavam que não cumpririam o compromisso de acertar rapidamente a minha saída, após a passagem do controle. Foi nesse momento de angústia que aparece na minha vida José Carlos Reis Magalhães, uma pessoa que eu conhecia superficialmente — seu fundo de investimento tinha sido acionista do Pão de Açúcar. Zeca, como é conhecido, me enviou um e-mail que dizia: "Abilio, gostaria de me encontrar com você para propor um negócio muito bom, que talvez seja maior e melhor do que o Pão de Açúcar". Comentei com a Geyze que aquela mensagem não me entusiasmava muito. Mas o recebi mesmo assim.

Para a minha imensa surpresa, ouvi o Zeca propor que considerasse a possibilidade de me tornar sócio da BRF — fruto da fusão da Sadia com a Perdigão — e eventualmente assumir a presidência do conselho de administração da empresa. Num primeiro momento, aquilo me pareceu muito estranho. Eu sempre estive do outro lado do balcão, sempre fui um varejista, um homem da distribuição, na ponta da cadeia e encostado no consumidor. Como é que agora eu iria passar para o lado da indústria? Foi um questionamento de curta duração, pois me lembrei das lições que costumo dar aos meus alunos da FGV de que todas as empresas são essencialmente iguais, compostas por gente e processo, processo e gente. Assim, a BRF não deveria ser muito diferente do Pão de Açúcar.

Com a cabeça feita, passei a estudar profundamente os dados da BRF com um pequeno time da Península, liderado pelo Eduardo Rossi, o Edu, que já

Abilio Diniz, menino: "Muita gente não acredita quando eu conto isso, mas eu era gordinho e baixinho até os doze anos".

Aos cinco anos, elegante, ao lado do pai e da mãe, caminhando pelas calçadas da São Paulo do início dos anos 1940.

Os irmãos eram exímios jogadores de polo,
então Abilio se dedicou até conseguir se superar no esporte.

Com a lendária Alfa GTAM: ao lado do irmão Alcides,
ganhou as mil milhas de Interlagos e as 12 horas de Interlagos.

Futebol, uma das grandes paixões: "De goleiro razoável, me transformei num arqueiro corajoso, do tipo que não tremia diante do ataque adversário".

Abilio, tricampeão brasileiro de motonáutica: motores Corvette de 5000cc e cabeçotes preparados pelo famoso engenheiro de motores Joe Mondello, nos EUA.

Jogando tênis: praticar esportes é uma das prioridades de sua vida, o que o levou a criar, junto dos filhos, o NAR (Núcleo de Alto Rendimento Esportivo de São Paulo).

Em 2001, em missa para funcionários do Pão de Açúcar em Jacareí (SP), vítimas de um assalto: "Minha grande força é a fé que tenho em Deus".

Na igreja, em frente ao irmão Arnaldo, ao lado da irmã Vera Lúcia e dos pais: a mãe foi a grande incentivadora para que Abilio se tornasse um católico fervoroso.

Com Frei André, que abençoava todas as novas lojas do Pão de Açúcar: "A pessoa perde muito de sua grandeza sem a fé e a espiritualidade".

Uma das grandes alegrias da vida de Abilio, a chegada dos netos (hoje, são dezessete e uma bisneta): "Em primeiro lugar a minha família e a minha saúde".

Com "seu" Valentim, Abilio construiu o Pão de Açúcar:
"Meu pai me ensinou a grandeza da honestidade e da ética".

A rede de supermercados foi uma das primeiras empresas
brasileiras a se tornar multinacional, com expansão na Europa
e na África: Abilio inaugura um Jumbo na Espanha.

No início do governo Figueiredo, em 1979: "Meu amigo Mário Henrique Simonsen me ofereceu um posto no Conselho Monetário Nacional".

Em julho de 1984, com o amigo Tancredo Neves, então articulando sua candidatura a presidente: "Procurei ajudar o país naquele momento difícil pelo qual passava".

Com o presidente civil José Sarney (à esquerda), ao lado de Murilo Macedo (ex-ministro do Trabalho), o economista Roberto Campos e Antônio Carlos Lemgruber (ex-presidente do Banco Central).

Um momento decisivo: o dia da libertação de seu sequestro (a seu lado, de boné, um amigo de vida inteira, Bresser Pereira; atrás de Abilio, Dom Paulo Evaristo Arns)

Levando o exercício físico ao limite em uma prova de triatlo: hoje Abilio diz que "os benefícios psicológicos alcançados por uma superação pessoal só serão válidos se a saúde for mantida".

Em 2010, na Maratona de Revezamento do Pão de Açúcar, fazendo o "aviãozinho" da chegada com o ícone do esporte olímpico brasileiro, Vanderlei Cordeiro de Lima.

O encontro com Geyze representou uma grande mudança na vida de Abilio: "Senti meu sangue correr nas veias como se tivesse 25 anos".

Na marcante despedida dos executivos do Pão de Açúcar, em setembro de 2013: "É uma árvore frondosa que nós plantamos e construímos aqui".

O casamento com Geyze, em 2 de dezembro de 2004, na capela da casa que moram em São Paulo: uma companheira na vida e nas grandes decisões empresariais.

Com a filha Rafaela, aos 2 meses, em 2006: Abilio é pai de novo aos 69 anos...

... e em 2009 nasce Miguel: "os filhos menores influenciaram meu empenho em me renovar e em ser uma pessoa mais jovem e saudável".

me acompanhava desde 2010. Esteve comigo em toda a transação da tentativa de fusão do GPA com o Carrefour e depois assumiu como CEO da Península. Jovem, inteligente, bom companheiro.

Quanto mais estudávamos, mais acreditava que aquele era um ótimo e estimulante projeto — era uma empresa grande, e com grande capacidade de crescimento. Eu não tinha mais dúvidas: vendi parte das minhas ações ordinárias do Pão de Açúcar, que sempre estiveram livres e podiam ser negociadas no mercado, e comprei ações da BRF. Esse movimento de compra talvez nem fosse necessário, mas era uma forma de me sentir um pouco dono da companhia e também de trabalhar para o aumento do meu patrimônio.

Quando decidi que caminharia para a presidência do conselho de administração da BRF, surgiram resistências, principalmente dos franceses do Casino. Eles alegavam que havia conflito de interesses e eu não poderia ser presidente do conselho de administração das duas empresas. Na realidade, não havia nenhum conflito, o que havia era uma intenção por parte do Casino de dificultar a minha vida, de me desestabilizar. Eu ainda estava preso ao Pão de Açúcar. Felizmente, essas questões foram resolvidas e assumi minhas novas atividades em 9 de abril de 2013.

A BRF é uma companhia incrível. Eu não fazia ideia da sua complexidade e do seu tamanho. É uma empresa integrada, que faz nascer oito milhões de frangos por dia, em cerca de catorze mil e seiscentas granjas. É a maior exportadora de frango do mundo, atendendo 130 países. Ela é um universo à parte. Nessa altura da vida, a descoberta desse universo é fascinante. Tudo completamente diferente. Incrível oportunidade de novos aprendizados. Novo local de trabalho, novos companheiros, uma empresa industrial com cadeia produtiva longa.

Uma das primeiras coisas que identificamos na BRF, no entanto, foi a sensação de que ela era uma companhia completamente sem dono. Era uma companhia que existia para ela mesma, para os seus executivos, para o seu management, e daí por diante. Ela não tinha um propósito claro, não tinha uma cultura estabelecida, não tinha uma visão, não dava importância aos seus valores.

O que fizemos na BRF, então, foi criar um ambiente em que todas as pessoas se sentissem um pouco donas da empresa. Criamos inclusive um slogan para isso: "Amor de dono". Quem eram os donos? Éramos todos nós. Mas como se faz isso, como se transmite essa cultura para 105 mil pessoas? Como falar com eles? Decidimos então estruturar uma TV corporativa, ou seja, um canal de TV particular, com emissão saindo da nossa sede em São Paulo com transmissão para todos os nossos pontos existentes no mundo.

No dia 30 de agosto de 2013, quatro meses após a minha primeira reunião no conselho de administração da companhia, fizemos a transmissão inaugural na TV corporativa. Falei para todos os nossos colaboradores, com todo o conselho no auditório. Paramos fábricas, paramos os centros de distribuição, todos os escritórios. Conseguimos falar com toda a companhia ao redor do mundo. Foi incrível, sensacional. Fizemos isso uma vez só, porque custou um dinheirão e não se pode fazer todo dia. Dissemos: "Nós estamos aqui e vocês estão aí. Cuidem dessa companhia como vocês cuidam das suas casas". Até hoje temos esse slogan.

Com Zeca e Pedro Faria — seu sócio na gestora de recursos Tarpon — e comigo no conselho, criamos um *steering committee*, para estudar a empresa como um todo, conhecê-la profundamente e redesenhar a sua estratégia. Éramos quatro — eu, Pedro Faria, Walter Fontana e Sérgio Rosa —, amparados por dois outros conselheiros, Zeca e Edu Mufarej. A ideia era descer do quinto andar da sede, na rua Hungria, em São Paulo, até o chão da empresa, analisando tudo.

Precisávamos entender o que se passava nas granjas, nos centros de distribuição, nas fábricas. É o que chamamos de mergulho: descer conhecendo e subir fazendo. Embora me considere uma pessoa com profundo conhecimento de gestão, aquele tipo de atividade era novo para mim. Por isso, fui cauteloso na criação do novo modelo de gestão, mais leve, mais enxuto, mais ágil e, claro, muito mais funcional e produtivo. Fizemos isso aos poucos, etapa por etapa, reorganizando os processos e aplicando uma regra fundamental que aprendi como gestor: colocar pessoas certas nos lugares certos e dar a elas oportunidades de decidir os rumos da companhia.

Reestruturar e reconstruir uma grande empresa como a BRF tem sido um trabalho complexo, mas extremamente gratificante. Em poucos meses, a companhia começou a ter outra cara e a apresentar melhores resultados. Também ficou mais transparente e mais fácil entender o que se passava dentro dela. Um dos nossos objetivos era tornar a BRF uma companhia realmente global, e não apenas a maior exportadora de frango.

À medida que avançávamos, identifiquei no Pedro Faria a pessoa certa para se tornar o CEO e conduzir a BRF. Inicialmente, tivemos de fazer uma composição política com outros sócios relevantes na empresa e ele foi primeiro para a área internacional. Pedro ficou um ano e deu uma configuração completamente nova ao setor, com modelos de negócios independentes e sedes em Cingapura, Dubai, Viena e Buenos Aires, coordenadas por São Paulo. Visitamos todos esses lugares juntos e entendemos melhor o que era a companhia internacionalmente e do que ela precisava. Para mim, era um aprendizado constante — e uma realização também constante, na medida em que as coisas passavam a acontecer.

O resultado foi um enorme e reconhecido sucesso. Nós praticamente dobramos o valor de mercado da empresa entre 2013 e 2015. É muito bom quando você trabalha, produz e vê os resultados aparecerem. Mas eu não tinha planos de parar por aí.

8. De volta ao varejo... global

Enquanto ia tocando animadamente minha vida na BRF, não deixei de lado a ideia de poder fazer alguma coisa com o Carrefour. Eu entendia que a empresa seria um investimento produtivo, que me daria muitas recompensas. Como aquela velha história de que o uso do cachimbo faz a boca torta, eu nunca deixei de ter os instintos de um merceeiro, de um homem de balcão, de um homem de vendas.

Depois que saí do Pão de Açúcar, restabeleci o contato com os franceses do Carrefour. Em novembro de 2013, tomei um café da manhã, em Paris, na casa de uma amiga em comum, com Georges Plassat, que no ano anterior havia se tornado CEO do grupo francês. Repeti para ele aquela história que já mencionei sobre disputar o campeonato mundial. Sempre que fazia um contato com ele, Plassat me respondia: "Quero que você comece conosco no Brasil e depois poderá fazer alguma coisa na França". As conversas foram longas. Eu aceitava a ideia de ter uma atuação no Brasil, mas logo percebi que o melhor caminho seria me tornar acionista do Carrefour também na França. Como no caso da BRF, passei a comprar ações no mercado e fui me tornando um acionista de relevância da empresa.

Eu não tinha pressa. Estava me realizando no trabalho da BRF, e a Península só me dava alegrias. Estava usufruindo a liberdade que nunca tive no Pão de Açúcar e, mais do que isso, me via livre das tensões e do inferno dos últimos anos. Fomos levando o processo devagar, uma conversa aqui, outra ali, até que, em setembro de 2014, Plassat me convidou pela primeira vez para almoçar com ele na sede mundial do Carrefour, em Paris. No almoço — além de nós dois, participaram Eduardo Rossi, CEO da Península, e Vincent Abello, diretor do Carrefour — vimos que teríamos coisas importantes a fazer juntos. Depois de outros encontros, como ocorre sempre nas negociações importantes, em 17 de dezembro, assinamos o contrato de compra de 10% do Carrefour Brasil em Amsterdã, na Holanda. O contrato estipulava a nossa entrada no conselho de administração do Carrefour Brasil e nos dava direito de trabalhar e contribuir para torná-lo ainda maior no país, além de transformá-lo numa referência mundial.

Poder voltar ao varejo e aplicar todo o meu conhecimento do setor em uma empresa que — ainda que tivesse sido concorrente — sempre admirei foi mais uma grande alegria. Ao mesmo tempo, a BRF me dá enorme satisfação por eu poder exercer novamente o papel de gestor, por formar um novo time, por contribuir para o crescimento de uma grande empresa.

Mas, além desses campeonatos, eu queria disputar outro. Claro que o Carrefour Brasil é uma empresa importante, está no meu país. Mas eu queria jogar o campeonato mundial. Eu já vinha comprando mais ações da empresa no mercado internacional. Em abril de 2015, aumentei minha posição, passei a ter cinco por cento de participação e me tornei o quarto maior acionista do Carrefour global. A partir daí, comecei a pleitear uma posição no conselho de administração da empresa em Paris. Em outubro de 2015, fui nomeado observador do conselho (*censeur*, em francês), sem direito a voto, mas já podendo participar das reuniões e dar minhas opiniões. Em 9 de janeiro de 2016, no primeiro conselho do qual participei, Georges Plassat me deu as boas-vindas e disse que na assembleia geral de maio eu seria nomeado administrador, e foi o que aconteceu.

Nas minhas palavras iniciais, agradeci a nomeação, disse que estava muito orgulhoso de estar ali, e tinha certeza de que poderia ajudar muito com os meus conhecimentos de distribuição e, principalmente, de gestão. Na mesma reunião, também fiz minha primeira provocação: disse a todos do conselho que precisaríamos definir qual era o tamanho da nossa ambição para o Carrefour.

Paralelamente, aumentei minha participação no Carrefour global de 5% para 8% e me tornei o terceiro maior acionista da companhia. Nessa posição, pleiteei mais um cargo de conselheiro administrador, e meu desejo é indicar uma mulher, pois, a partir de 2018, todos os conselhos de empresas públicas na União Europeia devem ter 40% de mulheres.

Esse é apenas o começo do que considero uma grande obra nessa altura da minha vida — fazer o Carrefour voltar a ser referência mundial. Atributos técnicos, conhecimento e capacidade não lhe faltam, mas é necessária uma gestão mais focada e ágil, que torne a empresa mais dinâmica e novamente de vanguarda, e que a faça voltar a ocupar o lugar que merece no mundo, com uma marca fantástica.

Essa é uma obra que pretendo realizar junto com o meu time, e que tem me levado muito à França, me afastando um pouco do meu país. Mas são coisas que valem a pena. Nessas viagens, procuro sempre ir e voltar no mesmo dia. Em virtude da minha vida, da Geyze, de meus filhos pequenos e mesmo de meus filhos adultos, das coisas que faço aqui e dos meus exercícios diários em casa, eu me tornei um especialista nas viagens de bate e volta.

Quando uso meu avião, às vezes mando uma tripulação a mais para poder voltar poucas horas depois. Viajo muito atualmente, inclusive pela BRF. Não sou um executivo da empresa, mas é incrível como me convidam para as mais diversas viagens, da Namíbia à China. Faço isso com prazer, mas procuro não prejudicar o que para mim é o mais importante na vida hoje: estar próximo da minha mulher e dos meus filhos.

Como já tinha acontecido na BRF, meu primeiro grande trabalho no Carrefour foi o de unir o conselho em torno de um novo projeto e compartilhar os meus conhecimentos em gestão e distribuição desenvolvidos em mais de cinquenta anos no setor varejista. Nesse caminho, conversei individualmente com cada um dos conselheiros para que todos me conhecessem melhor. É esse trabalho de união que tem possibilitado todas as mudanças que estamos fazendo.

Somos quatro acionistas importantes, que fazem a diferença. A Península, minha empresa, a LVMH, de Bernard Arnault, o Grupo Moulin, proprietário das Galerias Lafayette, e o fundo Colony Capital, de Tom Barrack. Desde 2011, meu contato com os acionistas sempre foi muito bom. Em relação à família Moulin, Philippe Houzé foi meu companheiro no conselho de administração do Casino desde 1999, quando estivemos lá. Sempre foi um grande companheiro, sempre estivemos muito próximos. Fomos demitidos os dois de corpo presente, ao mesmo tempo, num conselho de administração do Casino realizado em Paris, e agora somos sócios, temos uma relação de amizade.

Esses quatro acionistas não formam um bloco de controle. Somos independentes e colocamos todos os nossos esforços no conselho de administração, nos seus comitês e inclusive no comitê de estratégia do qual faço parte.

Essa volta ao varejo, agora jogando o campeonato mundial, me dá muita energia para seguir em frente, pois as transformações do Carrefour estão apenas começando.

Na minha experiência de vida profissional, de vida como gestor, o tipo de empresa que me parece ter a melhor performance hoje em dia é aquela chamada de *True Corporation*. É uma companhia sem um acionista controlador. São empresas de capital pulverizado, que terão um bom desempenho se tiverem uma governança corporativa eficiente e, preferivelmente, um acionista de referência.

Essa governança corporativa passa por um conselho de administração atuante, com comitês organizados, dando suporte para o conselho, e sem um único controlador, mas com uns poucos acionistas de referência. Uma empresa identificada por ser completamente sem dono, com capital completamente pulverizado, sem um rosto, tem mais dificuldade de se manter saudável e com boa performance ao longo do tempo. O management acaba assumindo o papel do dono, colocando o conselho e os acionistas numa posição de passividade. Não acho que isso seja a melhor governança corporativa. Toda empresa, mesmo uma corporação, tem de ter, na sua visão e na sua estratégia, um rosto por trás dela. Alguém ou algumas pessoas que se identifiquem com a companhia. Esse é o tipo de empresa que eu mais admiro hoje, pelos meus estudos, pelas minhas pesquisas. Elas são as que têm uma atuação melhor, e é aquilo que eu procuro fazer hoje na BRF.

A BRF é uma *True Corporation*, não tem nenhum dono, mas tem acionistas de referência: a família Fontana, dos fundadores da Sadia, a Tarpon, a Previ, que funciona como uma acionista atuante, e a Península, que pertence à minha família. É uma empresa de capital pulverizado, mas, se você procurar, vai encontrar um rosto por trás dela.

No Carrefour global estamos em busca de uma maior eficiência e uma maior atuação do conselho. Queremos que, por trás da grande corporação, seja possível ver acionistas como Philippe Houzé, Bernard Arnault, e até mesmo eu, Abilio Diniz, como figuras de referência.

Na BRF, no Carrefour e na Península, estou muito feliz em poder aplicar todo o conhecimento que adquiri na minha vida e que compartilho com você neste livro de forma muito franca e aberta.

9. Desafios e transformações

Uma única razão me levou a revelar detalhes de meu mundo pessoal em um livro que se propõe a falar sobre a qualidade de vida. Minha intenção foi mostrar os alicerces sobre os quais ergui os conceitos que defendo em meu dia a dia. E a melhor maneira que encontrei para fazer isso foi mencionar passagens de minha história; apresentar fatos que mostram como eu era e os motivos que me fizeram escolher um determinado caminho. Na minha opinião, isso lança luz sobre o que me move e revela, principalmente, que meus pontos de vista têm base sólida e fortes razões para existir.

Alguns dos episódios que acabei de relatar — ou, pelo menos, minha opinião sobre eles — eram conhecidos apenas pelas pessoas do meu círculo mais próximo. É claro que deixei de falar de muita coisa que se passou. Apenas elegi, entre situações marcantes do meu passado, algumas que poderão ajudar a formar uma ideia do tipo de sujeito que eu era: autossuficiente e um tanto prepotente. Também falei das circunstâncias que inspiraram minhas transformações.

É preciso deixar claro um detalhe: não foram só os fatos que me transformaram num homem diferente. Outras grandes crises da minha vida, como o sequestro, a briga da família e a quase falência do Pão de Açúcar, de que falarei a seguir, poderiam muito bem ter servido apenas para acentuar meus velhos defeitos, meus velhos hábitos, minha antiga maneira de ser. Foi a reflexão sobre tudo o que vivi e a conclusão de que não gostaria de passar por situações como aquelas novamente que me abriram os olhos para a necessidade de encarar o mundo, as pessoas e a mim mesmo de uma maneira diferente.

Em outras ocasiões, já relatei a história do meu sequestro, ocorrido em 1989. Era a manhã de 11 de dezembro, uma segunda-feira, e havia começado exatamente como milhares de outras. Saí de casa pouco antes das oito. Minha agenda não previa nada de especial para a primeira metade do dia, apenas reuniões de rotina. A tarde deveria ser mais atribulada: haveria o lançamento do livro *Reforma econômica para o Brasil*, produzido pelo Departamento de Estudos Econômicos do Pão de Açúcar, sob minha coordenação. No início da noite, eu deveria estar em Brasília para a inauguração de uma loja do Pão de Açúcar na cidade satélite de Taguatinga. Seria, portanto, um dia cheio. Nada disso me preocupava quando saí de casa naquela manhã. Dias assim, naquela época, no final dos anos 1980, eram absolutamente corriqueiros.

Dei a partida no meu carro e saí da garagem do edifício onde morava, na rua Tucumã, em São Paulo. Eu me mudara para aquele apartamento depois de me separar de minha primeira mulher, Auri. Eu era muito autossuficiente. Na minha visão, eu estava livre de encontros desagradáveis, como aquele que eu teria minutos depois de deixar a minha casa. Afinal, eu era forte, ágil, um atleta, muito preparado para lutar, e tinha a fama de ser um sujeito difícil.

Sequestros eram muito comuns naquela época. O primeiro, que sensibilizou o país, foi o do banqueiro Antônio Beltran Martinez. Ele foi mantido em cativeiro durante mais de um mês. Depois, foi a vez do meu amigo, o publicitário Luiz Salles, que ficou 63 dias em poder dos sequestradores. Ele foi mantido dentro de uma barraca de camping, armada no interior de um quarto. Naquela época, muita gente no meio empresarial passou a andar acompanhada por seguranças. Nossa organização também se mexeu. Contratamos profissionais bem treinados, que passaram a acompanhar meus pais e meus filhos aonde quer que eles fossem. Mas, como já disse, eu me considerava perfeitamente preparado para me defender sozinho.

Dirigi por cerca de quatrocentos metros e logo tive a impressão de que aquele dia não seria igual aos outros. Infelizmente, eu estava certo. O que despertou minha atenção para o perigo foi a ambulância que atravessou o meu caminho e impediu que meu carro seguisse em frente. Numa fração de segundo, percebi que a atitude das pessoas dentro do carro não era amistosa e me preparei para reagir. Não senti uma ponta de medo: eu era extremamente confiante na minha força física e aquela não seria minha primeira briga de rua. Estava em excelente forma física e me sentia pronto para reagir a qualquer agressão, viesse de onde viesse. Mais do que isso, andava armado, tinha porte e estava treinado para usar revólver. Sempre trazia dentro do carro, ao alcance de minha mão direita, uma arma que deveria me proteger em situações de emergência. Aquela era a hora de usá-la. Os bandidos teriam de me enfrentar, e eu estava disposto a derrotar qualquer um que atravessasse o meu caminho.

Apanhei o revólver e me preparei para o confronto. Estava concentrado nos movimentos das pessoas na ambulância quando senti o impacto. Olhei pelo retrovisor e percebi que a traseira do carro havia sido atingida por um Opala, dirigido por uma mulher. Estava claro que aquilo não seria uma simples briga de trânsito: o bando era numeroso, e tudo me levava a crer que conhecia meus hábitos. Ainda assim, não passava por minha cabeça a possibilidade de levar a pior.

Um homem, vestido com uma farda igual à da Polícia Militar, se aproximou pelo lado esquerdo do carro. Enquanto eu prestava atenção nos seus movimentos, outro bandido entrou pela porta direita e conseguiu arrancar a arma da minha mão. Tentei dar a partida, mas foi inútil. Meu carro estava prensado entre o Opala e a ambulância. Avaliei que minhas chances seriam maiores do lado de fora. Abri a porta, desci e no mesmo instante me vi cercado por vários homens. Lutei enquanto pude, mas depois de algum tempo me vi dominado. Fui jogado na traseira da ambulância.

Minhas mãos foram amarradas e minha cabeça foi coberta por um capuz. O carro começou a andar. Pouco tempo depois, fui transferido para o banco traseiro de outro veículo. Fui posto em uma Kombi — o barulho é inconfundível — e nela cheguei à casa onde ficaria pelos sete dias seguintes. O cubículo em que me puseram ficava debaixo da terra. Havia uma luz forte, cujo interruptor ficava na parte externa, longe do meu controle. Havia também um alto-falante. Foi dele que, minutos depois de minha chegada, começou a sair um som insuportável.

Eram músicas sertanejas, tocadas em volume altíssimo, com letras que sempre se referiam à morte. Não sabia o que me incomodava mais: se aquele barulho infame ou a sensação de falta de ar. A intenção dos sequestradores parecia evidente: quebrar minha resistência mental e mostrar que o domínio da situação estava nas mãos deles. Fui orientado a me comunicar apenas por bilhetes, nas horas em que eles autorizassem.

Eu, um homem habituado a dar ordens e a ser obedecido, percebi que o poder de tomar decisões sobre tudo o que me dizia respeito, inclusive sobre a possibilidade de continuar vivo, havia escapado de minhas mãos. Nem a intensidade da luz — que eles mantinham forte a maior parte do tempo — eu podia controlar. Muito menos o volume do som e aquelas músicas horrorosas. "Não vou tentar nenhuma loucura", disse num dos bilhetes que escrevi aos sequestradores. "Sei que vocês têm o controle da situação. Sei quando estou vencido." Quem me conhecia naqueles dias é capaz de imaginar o quanto me custou escrever aquelas palavras.

O cativeiro forçou-me a um reencontro com todo o meu passado. Minha imagem pública sempre foi a do empresário de sucesso, ou, nos anos 1980, do homem de governo que não tinha medo de apontar o que havia de errado no país. Ou, então, a do atleta obstinado, que sempre perseguiu a vitória. Algumas pessoas tiveram a chance de conhecer meu lado briguento, um sujeito que se achava no direito de resolver no braço qualquer pendência de trânsito.

O cativeiro tinha no máximo um metro e setenta de altura e pouco mais do que isso de comprimento. A largura mal chegava a um metro e quarenta. As paredes eram forradas com papel adesivo de cor creme. Havia um colchonete jogado no chão. O ar entrava por dois orifícios minúsculos de no máximo uma polegada de diâmetro na parte superior da cela. Naquele buraco, eu estava isolado do mundo, sozinho como jamais estivera em toda a minha vida, sabendo que ia morrer. Só não sabia como.

Na época do sequestro, o Pão de Açúcar vivia sob os holofotes, e por uma série de motivos. A empresa crescia num ritmo acelerado e havia se tornado muito poderosa. A compra da Eletro-Radiobraz em 1976 nos colocou em uma posição muito vantajosa no mercado. Entramos no ramo dos eletrodomésticos, que se expandira a passos largos na época do chamado "milagre brasileiro", o período do final dos anos 1960 e início dos anos 1970 em que a economia nacional bateu todos os recordes de crescimento. Aquilo nos fez líderes do varejo brasileiro.

A transação em torno da compra da Eletro-Radiobraz, que conduzi com meu amigo Luiz Carlos Bresser-Pereira, na época um dos executivos da empresa, foi feita por minha conta e risco. Meu pai, o acionista majoritário, só acreditou no negócio depois que estava tudo sacramentado. Naquela época, era assim que eu agia: todo o meu talento e minha energia estavam a serviço do Pão de Açúcar. Era tão obstinado pela ideia de construir uma grande organização que não cheguei a prestar atenção aos problemas societários que começavam a se desenhar no horizonte.

O fato de eu ter dado o sangue pela empresa e de ter contribuído muito mais do que qualquer um de meus irmãos para a expansão do Pão de Açúcar não me conferia qualquer vantagem dentro da sociedade. Em 1978, meu pai resolveu dividir a companhia no que eu chamava de "capitanias hereditárias" e deu uma delas a cada filho. Isso me desagradou muito e comecei a me interessar por outros assuntos.

No início do governo do presidente João Figueiredo, em 1979, meu amigo Mário Henrique Simonsen me ofereceu um posto no Conselho Monetário Nacional. Mário havia idealizado o conselho como um grupo de representantes dos setores produtivos, gente com conhecimento, legitimidade e influência suficientes para emitir opiniões sobre os destinos da economia brasileira. Seria, na sua visão, um time de consultores de alto nível, que ajudaria o governo na tarefa de avaliar o cenário e de encontrar as melhores soluções para a economia. Aceitei o convite e passei a destinar ao conselho parte da atenção que, antes, era totalmente dedicada à empresa.

A verdade é que, no período em que me mantive afastado, o Pão de Açúcar começou a ter dificuldades e foi se enfraquecendo. Começaram a ficar cada vez mais claros os sintomas dos problemas que, ao lado do sequestro, acabariam por influenciar de forma decisiva minha maneira de ver o mundo. A empresa apresentava os primeiros sintomas da crise e minha família não conseguia se entender. Um ano antes de os bandidos me capturarem, meu irmão Alcides havia trocado sua participação na companhia por uma boa soma em dinheiro e mais alguns imóveis. Foi um baque enorme para os cofres da organização. Alcides tomou seu caminho, nos afastamos e a vida seguiu seu curso.

Toda a exposição que eu tinha à frente da maior empresa de varejo do país, mais a minha presença no governo e a repercussão da saída de Alcides da sociedade acabaram me colocando em evidência. Eu aparecia a todo instante na televisão e meu nome não parava de sair nos jornais. Detesto admitir isso, sob pena de parecer arrogante, mas eu era visto como um homem rico e de hábitos conhecidos — um alvo mais do que previsível para sequestradores. Qualquer um seria capaz de enxergar essa realidade. Menos eu.

Tive muito tempo para lamentar minha autossuficiência no momento em que me vi sozinho naquele cubículo subterrâneo. O que mais me assustava, naquele momento, era meu próprio temperamento. Pessoas próximas a mim, inclusive minha filha Ana Maria, imaginaram que, no cativeiro, eu tivesse me exercitado, feito flexões de braço e abdominais. Não houve nada disso: se eu ia morrer, como acreditava, para que me exercitar?

Concluí que não conseguiria esperar muito tempo por minha liberdade. Temia perder a razão e agredir o homem que estava em sentinela, numa das vezes em que ele entrasse no cubículo para trazer alguma comida. Tinha certeza de que, se fosse mantido muito tempo naquele lugar, corria o risco de fazer alguma tolice que pudesse apressar minha morte. Pedia a Deus que não me deixasse perder a fé.

Do lado de fora, vim saber mais tarde, os fatos se sucediam com uma velocidade impressionante. A polícia logo localizou o carro disfarçado de ambulância que os bandidos usaram no primeiro momento do sequestro, e o carro foi desmontado para ver se encontravam alguma pista. Um cartão com o nome de uma oficina mecânica, na rua da Consolação, foi encontrado atrás do painel. O carro estivera lá para alguns reparos antes do sequestro. A partir daí, a polícia começou a desenrolar o novelo que resultou na minha libertação, sete dias depois de eu ter sido capturado pelo bando.

Assim que a polícia chegou à porta da casa onde eu estava preso, na manhã de sábado, os bandidos me retiraram do cubículo. Aos poucos, passei a ditar o ritmo das conversas com os sequestradores e, dali a pouco, estava negociando com eles a minha libertação. Do lado de fora, a polícia parecia ter a situação sob controle. Luiz Carlos Bresser-Pereira, que havia sido destacado pela empresa e por minha família para a função de negociador, tentava apressar a solução do caso.

Fui libertado na tarde de domingo e retomei minha rotina. Minha vida havia voltado ao normal. Pelo menos era o que eu pensava. Na segunda-feira, já estava de volta ao trabalho. À noite, fui nadar em companhia do meu filho João Paulo. Agia como se nada de anormal tivesse acontecido. Queria por toda lei apagar da minha memória os dias que passei naquele lugar terrível. E mantive a situação sob controle até que um episódio corriqueiro me obrigou a enxergar o óbvio: ou eu procurava ajuda para enfrentar aquela situação ou o fantasma do sequestro me perseguiria pela vida inteira.

Faço aniversário no dia 28 de dezembro. Durante pelo menos dez anos, mantive o hábito de deixar São Paulo logo após o Natal e passar meu aniversário e o Réveillon em companhia de dois ou três casais de amigos no Arco-Íris — o barco que tive por muitos anos. Naquele ano, mesmo depois de ter enfrentado uma situação tão terrível, não vi motivos para agir diferente. Fui para o mar. Certa noite, dormia em minha cabine quando fui despertado por um som alarmante. Alguém, provavelmente um marinheiro da embarcação, caminhava pelo convés — e o barulho de seus passos acima de minha cabeça devolveu à minha memória os sons que eu escutava no cativeiro. Tive medo. "Preciso voltar à terapia", foi minha conclusão.

Na época, já me considerava relativamente bem resolvido. Havia enfrentado com disciplina seis anos de análise freudiana ortodoxa. Quatro vezes por semana, passava cinquenta minutos deitado no divã de um psicanalista. Havia deixado as sessões. No retorno das minhas férias, voltei a fazer terapia e pouco a pouco comecei a descobrir um Abilio que eu mesmo desconhecia.

Essa nova fase desencadeou em mim mudanças muito profundas. O certo é que, alguns anos depois, percebi que meus principais defeitos — a arrogância, a prepotência e o pavio curtíssimo — estavam menos evidentes. Melhor ainda foi descobrir que minhas qualidades foram realçadas. Sempre fui uma pessoa sincera, leal e confiável. Aos poucos, passei a fazer dessas características positivas um uso melhor do que fazia no passado.

Mas, às vezes, nem mesmo um fato como o sequestro é suficiente para nos alertar sobre as autossabotagens que nos impomos e que nos impedem de ter uma vida mais feliz. Eu mesmo não mudei da noite para o dia. Antes que a mudança se processasse, sofri outros dois baques — que, no meu coração, tiveram um peso tão grande quanto os dias que passei no cativeiro. O primeiro foi a desagregação da minha família durante o desfecho de uma série de episódios desgastantes que começaram no momento em que meus irmãos quiseram atuar mais diretamente na empresa. A tensão foi aumentando com o decorrer dos anos e, no auge dela, a violência e o sofrimento foram indescritíveis. Foram momentos terríveis, em que os nervos ficaram à flor da pele e todos os envolvidos, inclusive eu, tiveram atitudes extremas.

A tarde da briga que selou o rompimento da família foi um dos meus piores momentos e me fez questionar seriamente algumas das atitudes que tomei ao longo da vida. Eu havia trabalhado duro para construir o Pão de Açúcar e nunca parei para pensar na fragilidade de minha situação dentro da empresa. Quando os problemas começaram, me vi completamente isolado. O terceiro e último dos eventos que me fizeram mudar completamente a maneira de enxergar a vida foi a queda do Pão de Açúcar, no início dos anos 1990.

Os problemas de administração, causados principalmente pelas desavenças da família e, em segundo lugar, pela situação econômica complicada que o Brasil atravessava, quase levaram a companhia à ruína.

Em 16 de março de 1990, no dia seguinte à sua posse, Fernando Collor de Mello anunciava o plano Collor. O plano visava combater a hiperinflação e determinava o confisco de valores acima de cinquenta mil cruzados novos (a moeda da época) em todas as contas de pessoas físicas e jurídicas. O plano contribuiu para uma queda de 4,3% do PIB em 1990 e não conseguiu controlar a inflação.

Foram anos dificílimos, no nível pessoal e empresarial. Quando abri os olhos, a obra a serviço da qual eu havia dedicado uma vida inteira — e na qual empreguei, em doses igualmente generosas, todas as minhas qualidades e todos os meus defeitos — estava a ponto de ruir. A essa altura o Pão de Açúcar se confrontou com a realidade. Uma realidade muito difícil.

Não há por que usar meias palavras: naquela época, o Pão de Açúcar era apenas uma sombra pálida daquilo que fora nos trinta anos anteriores. A companhia estava praticamente quebrada. A liderança do varejo brasileiro, conquistada à custa de trabalho exaustivo, de muito esforço, havia sido perdida. Ali, me vi diante de uma escolha: ou viraria as costas para a empresa, deixaria que tudo se acabasse e procuraria reconstruir minha vida de outra maneira, ou enfrentaria a família, ficaria com a companhia e lutaria para reerguê-la. Escolhi a segunda alternativa. Reconstruir tudo aquilo foi um trabalho que exigiu uma nova visão do mundo. Incluindo, sobretudo, uma dose elevada de humildade.

Humildade. Essa é a palavra-chave em torno da qual se organiza todo o processo de mudança pelo qual passei nos últimos anos. Nada disso, claro, aconteceu de uma hora para outra. Não houve uma noite mágica em que fui dormir arrogante e acordei humilde. Foi um processo de aprendizado longo e, muitas vezes, doloroso. Um processo que incluiu aprender a ouvir e a reconhecer as qualidades alheias. Pude observar que a principal lição de sabedoria que uma pessoa pode dar não está na forma como ela fala, mas na maneira como escuta o que os outros dizem.

10. O meu caminho

Com tantas transformações, os esportes e as outras atividades que eu praticava ganharam um novo sentido. Da mesma forma, me dei conta do valor da moderação dos hábitos e percebi que isso está inteiramente sob nosso controle. Foi essa a descoberta que me transformou num cara menos áspero e menos briguento. Passei a compreender melhor o sentido do amor, do autoconhecimento e da religião na minha vida.

É lógico que você não precisa ser sequestrado nem ter toda a família contra si e muito menos ver a obra de toda a sua vida chegar perto de ruir, como foi meu caso nos anos 1990 no Pão de Açúcar, para tomar uma decisão que conduza a uma vida melhor. Muitas das atitudes que nos levam a essa mudança são o resultado, única e exclusivamente, de uma decisão pessoal — e para tomá-la não é preciso esperar que a situação chegue a um ponto extremo. O primeiro passo para o bem-estar é o autoconhecimento. Só aqueles que se conhecem e têm consciência do que gostam de fazer são capazes de organizar sua vida de maneira a evitar a sensação desagradável de falta de tempo ou, o que é pior, de perda de tempo.

Quem quer qualidade de vida precisa desejar isso claramente, de forma que nada no mundo tenha mais importância do que essa busca. Em suma, quero reiterar o que disse antes: uma vida de boa qualidade exige mais determinação e disciplina do que qualquer outra escolha do ser humano.

Quero compartilhar com você, agora, os pilares que desenvolvi a partir de minha maneira de ver o mundo e de buscar o equilíbrio fundamental para a qualidade de vida. Nem tudo o que eu faço precisa ser seguido por você. Em alguns aspectos, como na prática dos esportes, sou muito exagerado. Tenho consciência de que ninguém precisa se exercitar com a mesma intensidade que eu para obter todos os benefícios que a atividade física é capaz de proporcionar. A questão é que, no meu caso, o esporte ocupa um papel fundamental para o meu equilíbrio.

Para muitas pessoas, esse equilíbrio pode estar em outras atividades: ioga, leitura, viagens... O fundamental é cada um olhar para si e descobrir o que é prioritário em sua vida.

Enfim, procuro mostrar aquele sentido da vida que os americanos resumem na expressão *my way*. Esse é o *meu* caminho, o *meu* estilo, o *meu* jeito de fazer as coisas. Não quero, de maneira alguma, insinuar que essa é uma fórmula infalível, capaz de pavimentar com segurança o caminho para a felicidade. Não existe fórmula secreta: mas acredito que só mesmo a organização e a disciplina permitem que uma pessoa desempenhe todos os seus papéis e dê conta de todas as atividades de forma equilibrada e harmoniosa.

Disciplina é algo que, no início, parece difícil de ser conquistado. É preciso que você se esforce muito para ser disciplinado no dia a dia. Mas, à medida que você descobre sua importância, passa a cultivar esse hábito e a exercitá-lo todos os dias. É assim mesmo que deve ser feito. Não há outro caminho. Eu, pelo menos, não conheço. Ninguém se torna disciplinado ao sabor do acaso. Também não existe um manual que nos mostre como incorporar essa característica da noite para o dia. A disciplina só é incorporada às nossas vidas como consequência de uma decisão pessoal.

Compare a vida de uma pessoa disciplinada com a de uma que não tenha praticado esse princípio e escolha qual delas você quer levar. É preciso, claro, ver as coisas a longo prazo. Muitos têm a visão romântica, quase adolescente, de que a felicidade está na indisciplina, na liberdade a todo custo, na falta geral de compromisso. E que a disciplina é uma chatice.

É uma ideia tentadora, mas enganosa. Hoje, a maturidade me leva a perceber claramente que, com disciplina, conseguimos realmente fazer o que é importante para nós, sem perder tempo em desejos que nunca se concretizam. Você quer ter mais tempo para si? Quer perder peso? Quer ter mais espaço para hobbies, para a família e para as viagens? Organize-se. Não existe fórmula mágica, não existe carta na manga, não existe pulo do gato. Ter qualidade de vida exige, antes de mais nada, uma tomada de decisão. Objetividade. Nessa matéria, nada acontece ao sabor do acaso. Tudo depende apenas de nós mesmos, das escolhas que fazemos. Saber disso, com certeza, torna o caminho muito mais fácil.

Esse caminho pode ser muito melhor se levarmos em conta seis fatores essenciais. Nenhum deles é mais importante do que o outro: são complementares e interdependentes como os fios de uma rede. Já falei deles no meu livro anterior, *Caminhos e escolhas*, mas, ao longo desses anos, revi alguns pontos e aprimorei algumas ideias.

Os três primeiros dizem respeito à saúde física. Nossa capacidade aumenta muito a partir do instante em que passamos a nos dedicar a uma atividade física regular e bem orientada; em que prestamos mais atenção àquilo que comemos e *como* comemos; e, finalmente, em que nos damos conta de que uma série de fatores de estresse está inteiramente ao nosso alcance. Cabe a nós mantê-los sob controle.

Os outros três fatores dizem respeito à maneira de nos colocar no mundo. O primeiro deles é o autoconhecimento, a importância de olharmos sempre para dentro de nós mesmos; o segundo é o amor. Eu não concebo uma vida sem amor. É o que nos traz energia, nos traz vigor, e o que torna a vida realmente bonita; o último trata da importância e da necessidade de nos relacionarmos com a grande força ordenadora do universo — Deus — por meio da fé e da espiritualidade.

Nenhum desses seis pontos deve merecer de nós mais importância que o outro: todos os seis precisam estar perfeitamente alinhados, cada um em seu devido lugar, cada um cumprindo seu papel, cada qual contribuindo à sua maneira para o nosso equilíbrio.

O segredo está justamente aí, no equilíbrio entre eles. A construção de uma vida com qualidade não depende de um aspecto isolado. Depende, isso sim, da combinação dessas seis circunstâncias — e é bom ter claro que cada uma delas perde boa parte de seu sentido na ausência das demais. Uma pessoa cheia de cuidados com a alimentação, por exemplo, não conseguirá tirar todo o proveito disso se não tiver um programa de atividades físicas bem orientado. Da mesma forma, ninguém conseguirá se manter suficientemente afastado do estresse caso não procure conhecer a si mesmo a ponto de saber seus limites e suas possibilidades. Ainda nessa direção, me parece razoável afirmar que o amor, como a forma mais perfeita de relacionamento entre as pessoas, perde muito de sua grandeza na ausência de valores como a fé e a espiritualidade.

Muita gente pode considerar impossível combinar elementos tão diferentes e, mais do que isso, dar a cada um dos seis a devida importância em suas rotinas. Afinal, um desses aspectos, sozinho, muitas vezes parece importante demais para dividir espaço com qualquer outro. Quando alguém se lança a um trabalho de reeducação alimentar, por exemplo, esse fato adquire uma importância tão grande que parece um absurdo exigir que essa pessoa encontre energia para combiná-lo com qualquer outra coisa. Da mesma forma, é muito difícil encontrar um defensor intransigente da atividade física, como eu sou, que a coloque em pé de igualdade com as técnicas de combate ao estresse para a construção de uma vida saudável.

Na mesma linha, muitos podem considerar blasfêmia o fato de eu defender que a relação com Deus tem a mesma importância que o autoconhecimento. O que eu quero enfatizar é o seguinte: esses são os elementos essenciais, e a presença de um não compensa a ausência dos outros. Mais do que isso, creio que existe, sim, uma maneira de combiná-los nas nossas vidas e de colocar cada um em seu devido lugar. Falo de uma qualidade chamada disciplina — um de meus cinco valores, que mencionei anteriormente.

A disciplina é quase o sétimo fator dessa equação. Ela é o nó que mantém unidos os fios dessa teia. Essa qualidade, como já disse, nada mais é do que a força que nos impede de desviar do caminho que traçamos para nós mesmos.

No começo, pode parecer difícil cumprir um programa de atividades físicas que se combine a uma mudança nos hábitos alimentares e à busca do autoconhecimento, e daí por diante. Em pouco tempo, no entanto, a pessoa notará que é nesse equilíbrio que está a chave de tudo. Notará também que, no final das contas, se você seguir esse caminho, não terá de se forçar a nada. Cada um dos seis elementos, à medida que os colocamos em prática, nos dá a força necessária para não sermos negligentes com os demais. O bem-estar não exige martírios: basta a pessoa saber o que deseja e ter a disciplina necessária para conduzir a vida dela naquela direção.

A complexidade da vida tem a medida que lhe damos — e os elementos que procurei combinar aqui tornam nossa jornada mais leve e divertida, mesmo quando o cenário se mostra especialmente difícil. Nas páginas a seguir, exponho ideias e atitudes que me levaram a uma melhor qualidade de vida. Algumas podem parecer óbvias, outras, nem tanto. Muitas das coisas que direi, sobretudo nos capítulos que tratam do autoconhecimento, do amor e da espiritualidade, durante muito tempo me pareciam inconfessáveis. Tolice. Se elas ajudarem alguém a se sentir tão revitalizado quanto eu me senti, meus objetivos estarão cumpridos.

11. Atividade física

Quero seguir vencendo, mas minha meta fundamental é longevidade com qualidade.

Na entrada do Central Park, eu já não era capaz de sentir o chão sob os meus pés. As pernas se moviam quase que por conta própria e me conduziam à linha de chegada da maratona de Nova York de 1994, a primeira que disputei. Eu era um entre milhares de corredores que, mais de duas horas antes, haviam iniciado a prova em Staten Island. Antes da metade do percurso de 42 quilômetros, quando o cansaço beirava o insuportável, mais de uma vez me flagrei pensando: "Meu Deus! O que estou fazendo aqui?". Mesmo assim, fui em frente.

A maratona prosseguiu por Brooklin, Queens e Bronx. Quando entrei na ilha de Manhattan, o cansaço já não era tão intenso. Aos poucos, fui tomado por uma alegria imensa. Daí à euforia, foi um passo. Durante a prova, uma frase estampada na camiseta de um dos corredores me chamou a atenção: *Pain is temporary; pride is forever* [A dor é temporária; o orgulho é eterno]. Essa frase tem me acompanhado em todos esses anos.

A prova estava quase no fim. Minhas pernas pareciam anestesiadas, mas isso já não tinha a menor importância. Quanto menos eu as sentia, mais experimentava aquela alegria inesquecível. Entre as árvores do Central Park, a sensação de vitória tornou-se ainda mais intensa. O instante em que cruzei a linha de chegada foi um dos mais emocionantes da minha vida. Tive a impressão de que tudo o que fizera até ali em matéria de esportes havia sido só uma preparação para aquela conquista.

Vitória, essa é a palavra. Independentemente da minha posição de chegada, eu me sentia um vencedor. E era mesmo. Qualquer um que consiga concluir os 42 quilômetros de uma maratona — não importa quanto tempo gaste ou em qual posição termine — é um vencedor. Um pouco mais tarde, quando cheguei ao hotel, tomei um banho, deitei para descansar e pensei: Valeu todo o esforço, valeram os meses de preparação, valeram as dores na hora da prova. Tudo aquilo valeu a pena.

Alguns anos depois dessa experiência, fui correr de novo uma maratona, de novo a de Nova York. O meu nutricionista naquela época, ao realizar exames e controles, fez um alerta: "Abilio, você está com 78 quilos, cinco acima do seu peso. Você vai correr os 42 quilômetros como se carregasse um pacote de arroz de cinco quilos nas costas. Você já imaginou o que é isso? Não! Põe o pacote no chão e corre sem ele". Aquilo, naquele momento, fez sentido para mim. Segui à risca todas as recomendações do nutricionista, inclusive reduzindo a musculação para não aumentar ainda mais a minha massa magra. Em vez de cinco quilos, perdi seis. Fui a 72, e o meu percentual de gordura no corpo baixou a 2,8%. Estava preparado para Nova York. E lá fui eu.

No primeiro trecho, fui voando baixo até cruzar a Queensboro Bridge e iniciar o percurso da Primeira Avenida. Aquele é um dos piores trechos da maratona de Nova York — você olha aquela reta imensa e não vê o fim. De repente, comecei a sentir um desconforto abaixo do tórax. Era uma dor crescente, acompanhada de necessidade aguda de me contrair, me curvar. Tive de parar, totalmente contorcido, com uma cãibra abdominal terrível. Sentei no chão, depois deitei, procurei me esticar e alongar. A dor diminuiu, e retomei a corrida. Mas já havia perdido muito tempo. Com muito menos vigor e energia, completei a maratona com desempenho muito distante do que previa e do que podia. O que aconteceu de errado? O exagero. O exagero de levar o índice de gordura a um nível tão baixo e de perder tanto peso. As consequências não foram assim tão graves — perdi um longo trabalho de preparação e tive um desempenho muito aquém do que esperava. Mas o aprendizado foi grande.

Todo exagero é sempre ruim. É como aquela frase: "A virtude está no meio". Toda vez que se vai para as pontas, para as extremidades, para os excessos, corre-se o risco de dar um passo errado e perigoso. Não só na alimentação, mas em qualquer coisa. Quando se vai aos extremos, é preciso ir com muito cuidado, prestar atenção e ver muito bem o que se está fazendo.

Esse aprendizado, que começou naquele dia em Nova York, foi embasado por novos estudos científicos que mudaram a minha visão da prática esportiva.

Os exageros aos quais eu e outros tantos esportistas nos submetemos foram estimulados primordialmente por uma interpretação popular e errônea do método criado pelo médico Kenneth Cooper, nos anos 1960. Segundo ele, os exercícios moderados e de longa duração eram os grandes responsáveis pela manutenção da qualidade de vida e pela promoção da longevidade. Ficou a impressão de que quanto mais se treina, mais saúde se tem.

Essa visão popular levou legiões de pessoas a começar a treinar e a competir em intensidades extremas e em quantidades absurdamente altas, sem necessariamente terem aptidão para serem atletas de elite.

Os estudos hoje apontam claramente que os atletas de elite têm características genéticas que os tornam aptos a praticar determinadas modalidades e melhorar constantemente seus índices de desempenho sem sofrer os males do excesso de treinamento. São essas diferenças genéticas fundamentais, e não a carga de treinamento, que os tornam grandes atletas, com rendimento esportivo muito acima da média. É o que ocorre com os grandes maratonistas.

Já a imensa maioria dos atletas amadores, além de não ter essas diferenças marcadas geneticamente, é formada por pessoas com diversas atividades profissionais, que só conseguem treinar em horários alternativos, justamente quando deveriam estar dormindo, se alimentando ou descansando. Por isso, essas pessoas costumam apresentar déficits importantes na qualidade e na quantidade de sono, desequilíbrios nutricionais alarmantes e uma persistente fadiga acumulada. Apesar de resultados aparentemente satisfatórios no curto e no médio prazo, no longo prazo essa rotina de desequilíbrio entre sono, alimentação e excesso de exercícios pode levar a resultados adversos e comprometer a saúde do praticante.

Não podemos esquecer que a principal função da atividade física é promover o bem-estar clínico e psicológico. Qualquer efeito fora disso pode ser nocivo. Isso foi comprovado por estudos mais recentes, que analisaram o impacto do treinamento excessivo ao longo dos anos.

Muitos desses estudos detectaram, por exemplo, a incidência maior de problemas cardiovasculares crônicos, entre eles a arritmia cardíaca, que me acometeu e tive de encontrar uma forma de tratá-la. Outros males de curto e médio prazos são os famosos problemas ortopédicos, principalmente nas articulações de quadril, tornozelo e joelho — comuns entre corredores —, no ombro e no cotovelo — comuns entre nadadores e tenistas.

Outro importante efeito colateral é a queda da resistência imunológica, o que aumenta a suscetibilidade a diversos tipos de doenças — de pequenas gripes a problemas mais graves nos sistemas digestivo, nervoso e cardiovascular.

Estou me estendendo sobre os cuidados com o excesso porque as pessoas que leram meu primeiro livro devem ter ficado com a impressão de que quanto mais esporte, melhor, e que a quantidade de horas destinada à prática esportiva forma um atleta de alto rendimento. Era por aí que eu pensava quando o escrevi, mais de dez anos antes. Quero deixar claro que estava enganado.

Eu era adepto do pensamento: "Quanto mais eu treino, mais eu tenho sorte". É uma frase famosa para levar você a treinar, treinar e treinar, cada vez mais. Hoje, vejo que as coisas são diferentes. Até mesmo o seu rendimento é afetado negativamente com aquilo que se chama *overtraining*, o excesso de treinamento.

Tudo depende do momento e do objetivo que temos na vida. Houve momentos em que o mais importante para mim era competir e ganhar. Nunca fui muito do espírito olímpico, de que o importante é competir. Para mim, era ganhar ou ganhar. Sempre disse, e sigo dizendo, que tenho uma relação muito clara com a derrota: Eu odeio a derrota. Naquela época, atividade física para mim era o esporte, a competição e a vitória.

Hoje, qual é o meu objetivo? Claro, quero seguir vencendo, mas minha meta fundamental é *longevidade com qualidade*. A atividade física, para mim, tem que estar focada nisso. Hoje ainda me exercito duas horas por dia todas as manhãs, mas não mais em dois ou três períodos, como antigamente.

As descobertas sobre os males do excesso da atividade física, contudo, não colocam em xeque o papel fundamental que o exercício tem na manutenção da saúde e da qualidade de vida. Muito menos o seu papel na promoção da longevidade. Os parâmetros científicos servem para nortear os programas de exercícios e torná-los ainda mais eficientes e seguros. É muito importante entender que os males descobertos não são resultado da atividade física, mas do excesso crônico e duradouro do exercício físico.

Se você tem uma vida sedentária, deve saber que está deixando de fazer uma atividade que, se realizada regularmente, de maneira adequada e com moderação, tem se mostrado a forma mais eficaz e segura de manter a saúde em todos os períodos da vida. Permite, inclusive, ser funcionalmente capaz durante a velhice.

Além disso, entre inúmeros benefícios, idosos que se exercitam regularmente têm menor incidência de doenças degenerativas do tecido ósseo, como a osteopenia e a osteoporose. Isso porque as forças de compressão, o impacto e as sobrecargas existentes no exercício estimulam o tecido ósseo a captar o cálcio da corrente sanguínea, mantendo sua densidade ao longo dos anos.

O treinamento também tem a capacidade de desacelerar a perda da massa muscular que ocorre, impreterivelmente, ao longo dos anos (fenômeno conhecido como sarcopenia), auxiliando na manutenção da força muscular e, consequentemente, da estabilidade, do equilíbrio e da capacidade funcional por toda a vida.

Não podemos esquecer que os idosos sofrem muito com as quedas. Elas são causadas principalmente por déficits de força e de equilíbrio. Portanto, é fundamental conseguir manter a estabilidade e tornar os ossos mais resistentes a essas quedas nessa fase da vida.

Hoje, mais experiente e após analisar os estudos mais recentes sobre o excesso de exercícios, abandonei a prática de triatlo e da maratona. Muitas pessoas que conheço fazem essas atividades de forma amadora em busca de superação pessoal e aumento da autoestima, o que tem seu valor. Mesmo assim, não deixo de alertá-las sobre os cuidados a serem tomados. Sempre é possível adequar os nossos objetivos ao que o conhecimento científico na área da saúde aponta como mais apropriado.

Nunca se deve esquecer que os benefícios psicológicos alcançados por uma superação pessoal só serão válidos se a saúde for mantida. Sem saúde, nada disso faz sentido.

Você pode ler essas histórias e imaginar o quão distante elas estão de você. Talvez nunca tenha lhe ocorrido realizar uma atividade física de forma sistemática, muito menos correr uma maratona. Se você é sedentário, desses que passam a semana sentados no escritório e o fim de semana sentados no sofá assistindo a televisão, gostaria de pegá-lo pelo braço e trazê-lo para essa outra realidade: a realidade das pessoas que já experimentaram o bem-estar que invade o corpo com a prática regular de exercício e não conseguem mais viver sem ele. Gostaria de convencer você a provar a emoção e o gosto do desafio de se disciplinar a fazer exercícios regularmente. É uma sensação de liberdade ter a consciência de que seu corpo não vai abandoná-lo, que ele está pronto a levá-lo ao ponto que você estabeleceu. Essa comunhão entre corpo e mente faz a gente se sentir pleno, livre e dono de si.

O mais importante do exercício é escolher atividades que deem prazer no momento de sua prática. O melhor exercício não é aquele que necessariamente lhe trará mais ganhos na condição física, mas sim o que lhe dará verdadeiro prazer. É essa satisfação que lhe permitirá realizá-lo por muitos e muitos anos.

Sei que dar o primeiro passo não é fácil. Não sou diferente de ninguém. Quando está frio ou quando estou muito cansado, sinto preguiça de levantar da cama para cumprir o ritual de exercícios que hoje ocupa duas horas do meu dia. Mas ao lembrar o bem-estar que sentirei logo depois, degustando meu café e de banho tomado, e do quanto isso me fará bem durante todo o dia, me arranco da cama e, quando percebo, já estou me exercitando.

Não sei exatamente como isso acontece, mas sei que meus hábitos saudáveis já inspiraram muitas pessoas próximas a praticar exercícios. Se eu puder fazer isso também com você, me sentirei feliz. Sempre incentivei as pessoas a se exercitarem, e as empresas, a darem estímulo e apoio à prática esportiva de seus funcionários e atletas. Hoje, junto com o Instituto Península, da minha família, somos os principais mantenedores do Núcleo de Alto Rendimento Esportivo de São Paulo, o NAR, reconhecido mundialmente pelo treinamento de atletas de alto rendimento.

Antes de dar o primeiro passo na atividade física, porém, é necessário um primeiro cuidado. Procure um médico especializado em esporte, uma espécie de clínico geral do exercício, que conheça as exigências para uma prática segura. Explique a ele seu objetivo, e ele criará uma rotina de testes, avaliações e exames específicos para as suas necessidades. É fundamental sempre fazer exercícios com segurança. Geralmente, tudo começa com um teste ergométrico, feito por cardiologistas habilitados e hoje oferecido na maioria dos laboratórios clínicos, que avalia suas condições cardíacas em situações de estresse físico.

Uma vez iniciados os exercícios, você verá que em poucas semanas os resultados aparecem. E eles vão muito além dos benefícios físicos porque geram profundas mudanças psicológicas e de humor, comprovadas por psicólogos que estudam as consequências da prática esportiva na vida social dos praticantes.

Fico feliz em acompanhar a evolução de uma pessoa de hábitos sedentários que aos poucos se transforma em alguém fisicamente ativo e de hábitos saudáveis. Também é gratificante notar o orgulho com que alguns senhores respeitáveis, donos de sólidas carreiras profissionais, passam a se ver no espelho depois de se livrarem dos quilos indesejáveis que acumularam em volta da cintura. Melhor ainda é perceber a tranquilidade de um ambiente profissional no qual cada vez mais pessoas colhem os benefícios da atividade física regular e moderada. Mais do que isso, consigo enxergar como essas conquistas provocam aumento da produtividade nas empresas em que atuo quando conseguimos transformar a atividade física e os benefícios que ela proporciona em parte importante da cultura da organização.

Falo de esporte com entusiasmo porque ele sempre foi para mim, desde a adolescência, uma fonte de bem-estar. Mais até: foi um instrumento que me ajudou a moldar uma autoestima tão firme quanto minha musculatura.

Durante a vida a gente pode se apegar a muitas coisas. Há quem se apegue a um copo de uísque por dia. Há quem se apegue a uma poltrona na sala e dela só saia para cair na cama. Eu me apeguei à minha disposição física e batalho por ela.

Comecei a praticar esportes de maneira regular com treze anos, quando, como já disse, era baixinho e gordinho. Desde então, os exercícios conquistaram um espaço central na minha vida. Primeiro, joguei futebol, prática que segui até a idade adulta, e treinei boxe, judô e capoeira. Depois, na faculdade, fiz levantamento de peso. Mais tarde, me dediquei aos esportes aquáticos. Pratiquei esqui aquático e disputei provas de motonáutica. No comando de uma lancha 3 Pontos, superveloz para os padrões da época, fui tricampeão brasileiro.

Todas essas atividades entraram na minha vida de forma natural. Eu me interessava por um esporte, começava a praticá-lo depois de um preparo razoável e, em pouco tempo, conseguia um desempenho mais do que satisfatório, ganhando provas importantes.

A lição que aprendi com a superação para me tornar um bom jogador de polo a cavalo, e que pus em prática no tênis e no squash, foi que, quando se quer realmente aprender uma nova prática esportiva, é preciso se dedicar de corpo e alma. Só assim se conseguirá extrair dessa atividade o prazer e todos os benefícios que ela é capaz de proporcionar. Nesse caso, como em muitos outros, a realização é uma consequência direta da dedicação, da disciplina e do bom senso.

Cometi exageros, é verdade. Por isso, ao escrever novamente sobre esse fundamento, decidi abordar todas as mudanças no meu programa de treinamento nesta nova fase. Quero que os benefícios dessas descobertas sejam multiplicados e ajudem mais pessoas a conquistarem ainda mais saúde.

Já cheguei a treinar em três períodos diários e tenho certeza de que boa parte dos problemas que tive e alguns que ainda tenho estão associados ao exagero na atividade física. Hoje realizo o meu treino diário em apenas uma sessão, sempre pela manhã, e vario todos os dias os tipos de exercícios, modalidades e estímulos.

Para se ter longevidade com qualidade, é preciso se preocupar com o treinamento de força, o que popularmente é chamado de musculação. Já está bem estabelecido pela literatura científica que o treinamento de força tem um efeito positivo sobre os músculos, ossos e tendões, tornando-os mais aptos e eficientes para enfrentar as tarefas do dia a dia. Além disso, a musculação tem um efeito protetor sobre todo o sistema musculoesquelético, o que pode nos proteger das lesões esportivas e dos tão temidos problemas ósseos que costumam acometer as pessoas idosas.

Durante essas sessões, costumo priorizar os exercícios multiarticulares, aqueles que movimentam ao mesmo tempo um grande número de articulações e recrutam um maior número de grupos musculares. Com esses exercícios, otimizo o meu tempo e me preparo melhor para as tarefas do dia a dia, já que eles são mais semelhantes a movimentos específicos e corriqueiros, como correr, saltar e até mesmo sentar e levantar de uma cadeira. Esses exercícios não somente melhoram o meu desempenho nos esportes como também contribuem para manter a qualidade de vida ao longo dos anos.

Não podemos esquecer que a incapacidade funcional é um mal que assola a população a partir de certa idade. Adotando essa estratégia, me preparo para ser funcionalmente apto por muitos e muitos anos.

Também incluí na minha nova rotina exercícios de coordenação motora, que envolvem desde pequenos saltos com uma ou duas pernas em situações estáveis e instáveis (como numa cama elástica) até exercícios mais complexos que incluem, entre outros, caminhar e trotar de costas e lateralmente em uma esteira em movimento. Isso me prepara para situações inesperadas que ocorrem no dia a dia, reduzindo a perda do equilíbrio e da estabilidade ao longo dos anos.

Pela minha vivência e pela minha idade, posso afirmar que a coisa que mais sinto é a diminuição de equilíbrio. Faço todos esses exercícios justamente para tentar neutralizar essa perda.

Também diminuí bastante o volume de treinamento aeróbio para que pudesse desfrutar de todos os benefícios associados a essa prática. Deixei de lado as corridas longas e os treinos superiores a sessenta minutos. Hoje, quando busco modelos mais intensos, priorizo os intermitentes ou intervalados, que, como o nome já diz, intercalam momentos de alta intensidade com pausas para recuperação ao longo da sessão de treinamento.

Ao menos duas vezes por semana, antes da sessão de musculação, jogo squash e pratico boxe. Faço isso para estimular a aprendizagem de novos movimentos e conviver com situações que envolvem ação, reação e mudanças de direção o tempo todo. Essas tarefas auxiliam no desenvolvimento e na manutenção da saúde do sistema nervoso central. Além disso, o squash e o boxe são lúdicos para mim. Eles deixam de ser exercícios e passam a ser prazerosos.

Comecei a jogar squash quando decidi parar com o tênis. Para ser bem jogado, o tênis precisa de muita precisão, muita atenção. E isso traz muita tensão, que não combina com as tensões acumuladas no dia a dia, principalmente numa atividade empresarial intensa. O squash é um esporte de pouca técnica e muito preparo físico. Foi inventado por dois presidiários num ambiente limitado e depois ganhou adeptos no mundo todo. Muita gente diz que machuca muito as articulações. Mas é onde eu menos me machuco. E o considero muito divertido.

O boxe tem outra história. Lutei muito boxe quando jovem, chegando a competir e ter bom nível. Mas só fui voltar a praticá-lo muitos anos depois.

No período mais difícil da disputa com os franceses do Casino, ainda no Pão de Açúcar, minha analista disse que eu precisava extravasar a raiva. "Não há nenhuma atividade de luta em que você poderia pôr para fora toda a sua vontade de agredir?", perguntou ela. Pensando nisso, procurei o Irineu, meu amigo e companheiro de esporte. Ele me apresentou ao Paulão, lutador de boxe de quase dois metros de altura com quem passei a me exercitar. Na época, foi muito bom pelo lado terapêutico. Mas também se tornou muito divertido. Tanto que sigo lutando até hoje. Faço isso na mesma quadra em que jogo squash, dividindo as atividades.

Incluo ainda na minha rotina os exercícios de flexibilidade, feitos ao menos duas vezes por semana. Mais recentemente, passei também a fazer exercícios de pilates. E essa foi uma mudança incrível. Quando amigos me perguntavam o que eu achava de pilates, eu respondia: pode fazer, é como homeopatia, não faz mal. E agora eu estou fazendo pilates. É uma nova descoberta, trabalhar mais com isometria, alongamentos e flexões em um número menor de repetições. Vai indo bem.

Outra mudança também é que uma vez por semana, pelo menos, pego mais leve. No máximo dou uma caminhada ou ando de bicicleta, o que ajuda meu corpo a se recuperar para a próxima semana de treinos. Eu faço assim, mas, para muitas pessoas, é sempre bom tirar um dia de descanso.

É importante entender que todos esses exercícios devem ser feitos por pessoas que buscam melhores condições físicas e de saúde em qualquer idade. Não os faço apenas porque passei dos setenta anos, muito pelo contrário. Essa é uma rotina completa de atividades, com resultados positivos em diferentes sistemas orgânicos, e deve ser realizada nas mais diferentes idades. Basta você adaptar essa rotina às suas condições fisiológicas.

Claro que ninguém precisa ser como eu. Sempre fui um esportista. Mais do que isso, fui um atleta de competição. É natural que a esta altura da vida ainda tenha um nível de treinamento muito mais alto do que o requerido para a finalidade fundamental de longevidade com qualidade. As pessoas podem pegar mais leve do que eu.

A mensagem que realmente quero deixar é que o exercício regular feito ao longo da vida proporciona mais saúde por muito mais tempo. Também quero ressaltar que você não precisa ser obsessivo por exercícios para atingir esses benefícios. A obsessão por esportes quase me privou dessa minha paixão.

Para que isso não acontecesse, tive de mudar conceitos e pensamentos que me acompanharam por toda a vida. Esse também foi um novo desafio para mim, diretamente conectado com o meu conceito de aprender e buscar ser melhor a cada dia.

Por tudo isso, a falta de consciência de algumas pessoas em relação à atividade física me deixa atônito. Não ter essa consciência é uma injustiça, quase uma desfeita com Deus, que criou essa máquina tão fantástica que é o nosso corpo. Ele só pede que você faça o serviço básico de manutenção.

Às vezes — e isso vale para muita gente que se exercita — fazemos atividades sem nem bem saber para que servem. Em busca do melhor para mim, li muito a respeito. Faço tantas atividades físicas que meus amigos médicos brincam que, quando precisam de uma consulta nessa área, vêm me procurar. Por isso tomei a liberdade de compartilhar com você algumas coisas que aprendi em décadas de estudos.

Sei que há dezenas de desculpas para o sedentarismo, mas pouquíssimos motivos — a maioria de natureza médica — são fortes o suficiente para impedir que se inicie o trabalho físico em qualquer fase da vida. Nem mesmo a falta de tempo pode ser usada como desculpa. Qualquer pessoa pode reservar algum momento dentro das 24 horas de seu dia para fazer um programa de exercícios. Eu tenho uma agenda muito complicada no Brasil e no exterior e sempre consigo encaixar os exercícios. Como sei que me fazem bem, passam a ser uma obrigação e um prazer. Por isso, reforço a necessidade de escolher atividades que sejam prioritariamente prazerosas.

Se você tiver disciplina para cumprir um programa razoável de atividades, garanto que ao final de algumas semanas estará fisgado. E aí são grandes as possibilidades de nunca mais deixar de incluir os exercícios em sua rotina. Muitas vezes, a própria evolução de seu desempenho o estimulará a encontrar horários e alternativas para seguir progredindo.

A questão é: como chegar a isso? Qualquer meio que você encontre de movimentar o corpo de forma sistemática e regular, aumentando o gasto energético (consumo de calorias), trará benefícios. Dançar, por exemplo, é um exercício excelente. Além dos benefícios cardiovasculares, a dança estimula a aprendizagem de novos movimentos e trabalha a coordenação motora. Aliás, qual foi a última vez que você aprendeu um movimento diferente? Muitos estudos mostram que a velocidade da aprendizagem motora das crianças tem relação com o fato de que todos os dias elas percebem e imitam movimentos novos que conseguem identificar no ambiente.

Mas se você não tem tempo nem vontade de dançar, nem gosta de frequentar academias, pode optar por subir escadas, andar pela rua, pedalar pelo parque ou mesmo fazer faxina em casa. Desde que faça isso com frequência, terá algum benefício. Tudo isso aumenta seu gasto energético e provoca adaptações positivas em seu organismo. É uma questão de vontade, bom senso, disciplina e flexibilidade.

Cada um estabelece o seu ritmo. O importante é não ficar parado. Procure o exercício que mais combine com sua personalidade e invista nele. Não caia no conto da "melhor" atividade. Você deve ter amigos que recomendam um novo exercício milagroso que serve para tudo. Não é bem assim.

A atividade física deve ter metas como estimular o sistema cardiovascular, aumentar a força muscular, a flexibilidade e manter o bom funcionamento do sistema nervoso central, permitindo o aprendizado de novos movimentos. Porém, importante mesmo é praticar o que nos dá prazer. Algumas vezes, evidentemente, alguma atividade deverá ser feita para corrigir uma possível deficiência no seu treinamento. Procure sempre um profissional de educação física capaz de montar um programa que contemple todas essas variáveis, respeitando prioritariamente as suas aptidões, seus gostos e, sobretudo, sua individualidade biológica.

Veja o exemplo da natação. É um exercício excelente, que age sobre todos os músculos. Nadei durante anos, principalmente no início dos anos 1990, o período mais difícil da minha vida. Mas abandonei a prática intensa porque ela deixou de combinar com o meu temperamento. Ela é um exercício solitário. Você nada e fica olhando para a marcação no chão da piscina, e naquele momento é apenas você e seus pensamentos. Se eles são bons, legal; se você tem alguma aflição, você fica com ela. E mesmo a natação tem limitações. Ao reduzir drasticamente o impacto nos ossos e articulações, ela não estimula a absorção de cálcio pelo tecido ósseo e requer complementos para que sua atividade física seja de fato completa.

Hoje uso a natação como um exercício complementar ou alternativo, para quando tenho alguma contusão que me limita para outros esportes.

Não tenho mais preferência por nenhuma atividade. Gosto de todas, e o importante é variar o exercício. Essa variação, além de ensinar novos movimentos, minimiza os esforços repetitivos em ossos, tendões, músculos e articulações, evitando sobrecarga constante nas diferentes estruturas corporais.

Entre as minhas atividades aeróbias hoje incluo ciclismo indoor (spinning), caminhada em esteira inclinada, trotes e corridas rápidas, exercícios em aparelhos aeróbios diversificados (como transport), exercícios em aparelhos que simulam escaladas e a própria natação.

Depois que adotei essa prática variada, minimizei muito o número de lesões ortopédicas sem ter deixado de me exercitar regularmente e da maneira que eu gosto.

Devido à minha rotina, realizo várias dessas atividades sozinho, na minha própria academia. Porém, muitos de meus amigos e familiares preferem fazê-las em grupo, o que promove também a socialização e o controle do estresse, fatores muito estimulantes para a prática e a obtenção de melhores resultados. E falo de resultados que vão muito além dos benefícios estéticos e promovem o estado geral da saúde, trazendo melhoras no sistema nervoso central, no sistema cardiovascular, nas estruturas responsáveis pelo movimento e no estado psicológico. Tudo comprovado pela ciência.

Pessoas que se exercitam com regularidade vivem e envelhecem melhor. Associada a outros hábitos saudáveis como sono eficiente e nutrição equilibrada, a atividade física é, sem dúvida, a forma mais segura e eficaz de combater e evitar as doenças crônicas que afetam as pessoas ao longo dos anos. Sou prova disso. A prática regular dessas atividades me proporciona uma vida sem algumas das restrições que fazem parte do dia a dia de outras pessoas da minha idade. Hoje, quando viajo, acompanho minha esposa e meus filhos pequenos em todos os tipos de passeio e não me privo de nada.

Sempre digo aos meus amigos que o maior estímulo para os meus treinos é poder carregar meus filhinhos para cima e para baixo e fazer atividade física ao lado deles. Muitas vezes, tive de subir escadas e passear em parques com a Rafaela no colo, o que só fui capaz de fazer graças à minha condição física. Muitas vezes o meu filhinho Miguel vem participar das aulas de boxe matinais. Ali posso não só ensiná-lo a se exercitar, mas também transmitir muitos dos meus ensinamentos e valores. O exercício me deu essa condição, e este é o maior de todos os benefícios. Por isso tenho tanto entusiasmo para falar de esportes.

12. Alimentação

O que engorda não é a exceção, é a regra.

Para quem busca qualidade de vida, alimentação é fundamental. Não é possível ter saúde, bem-estar, disposição e energia para enfrentar tudo o que vem pela frente sem cuidar do que come.

Sei que muitas pessoas consideram a alimentação um dos maiores prazeres da vida. Acho isso válido, mas nem tudo o que consideramos grandes prazeres da vida pode ser consumido em excesso. É importante olhar a alimentação como algo prazeroso, mas é importante também prestar muita atenção e se esforçar para fazer o melhor para a saúde e para conquistar a longevidade com qualidade.

Desde o meu primeiro livro, alguns conceitos sobre alimentação mudaram, e queria passar isso para você antes de nos aprofundarmos.

Primeira coisa, já absolutamente comprovada, é que as pessoas que vivem muito, que têm mais saúde, disposição e energia são pessoas que se alimentam bem, mas comem pouco.

É fundamental você não comer mais do que precisa. O ideal seria até você comer um pouquinho menos. Certa vez perguntei a uma ex-monja de idade já avançada, e por quem tenho muito apreço e respeito: "Susan, como você consegue se manter tão elegante e em tão boa forma?" Ela respondeu de forma muito simples: "Eu como pouco".

Não coma em exagero, não se sinta cheio, empanturrado. Se você fizer isso uma vez ou outra, não terá problemas. Mas, como regra, será extremamente prejudicial — para a sua saúde, a sua autoestima, o seu corpo e a sua imagem.

A grande mudança em alimentação desde o meu primeiro livro diz respeito aos carboidratos e aos alimentos com alto teor glicêmico. Sintetizando o que será dito adiante, na época da minha vida em que mais me exercitei, a base da minha alimentação eram os carboidratos.

Na véspera de uma grande prova, como a maratona, os nutricionistas recomendavam carboidrato no jantar, um grande prato de macarrão ou coisa parecida. Isso mudou completamente. O carboidrato deve ser ingerido, mas o de baixo teor glicêmico, e de maneira muito mais contida. Os produtos de alto teor glicêmico são prejudiciais à saúde. Farinha branca, açúcar e sal em excesso fazem realmente muito mal.

Como disse em meu livro anterior, respeito os gourmets que colocam a comida como um dos maiores prazeres da vida. Mas a minha relação com os alimentos não tem esse viés. Sou metódico e consciente em relação ao que escolho para comer, e às quantidades — acho que é isso que faz diferença para que eu mantenha a saúde em ordem e uma boa qualidade de vida.

Este capítulo tem a missão de semear a ideia de alimentação saudável, sem exageros nem ansiedade. Sobretudo aqueles exageros que sobrecarregam o funcionamento de seu organismo e ameaçam seu bem-estar. Também quero enfatizar a alegria e a importância da alimentação sem culpa. Não adianta se empanturrar no jantar e depois dizer que no dia seguinte vai malhar muito na academia e ficar uma semana só comendo salada. A alimentação e o exercício físico devem ser aliados, e não funcionar como câmara de compensação.

Costumo dizer que devemos comer tudo o que desejamos. Mas alimentos de alto índice glicêmico e feitos com farinha e açúcar refinado, como o pãozinho francês e os doces, devem ser consumidos com mais parcimônia. Aqui vale uma norma que não canso de repetir: o que engorda não é a exceção, é a regra. Devorar um cheeseburger ou uma feijoada de vez em quando não agrega "pneus" e colesterol a ninguém. Agora, comer feijoada no almoço e pizza no jantar durante a semana toda certamente vai lhe custar um preço em saúde e rendimento físico. Mas qual a contrapartida para poder comer o que se quer? O equilíbrio alimentar. Comer de tudo, mas com moderação, se preocupando não apenas com a quantidade, mas com a qualidade nutricional do alimento ingerido. E também combinar essa boa alimentação com a prática regular e adequada de exercícios físicos. Dessa maneira, ninguém sente culpa após um eventual exagero.

Para ter qualidade de vida, costumo dizer que é preciso tomar as rédeas da vida. Essa afirmação vale também para algo prosaico como escolher o que você coloca no prato e como faz as refeições. Há nesse ato certa dose de sabedoria que, para muitos, só acontece quando a ansiedade do dia a dia está totalmente sob controle. Eu mudei a minha alimentação pouco a pouco ao longo dos anos. Aos trinta e tantos, eu almoçava com meus filhos em casa e abusava de carnes, frituras, gorduras e molhos brancos. Era a comida brasileira, boa e caseira. Mas eu pensava menos no que deveria comer e no que cada alimento poderia proporcionar. Depois, quando vivia metade da semana em Brasília, aos quarenta anos, era obrigado a almoçar fora com muito mais frequência do que queria. Nessas ocasiões, muito penosas para mim, colocava no estômago alimentos que me custavam uma digestão mais arrastada e comprometiam meu desempenho nos esportes.

Quando resolvi participar de maratonas, procurei me cercar de informações e de profissionais que me ajudassem a melhorar meu desempenho. Uma das coisas que aprendi naquela época, e que são válidas até hoje, é realizar várias refeições ao dia. De certa maneira, já fazia isso intuitivamente havia muito tempo. Não é saudável fazer uma única refeição no dia. Ou devorar mil e quinhentas calorias de manhã e duas mil à noite, pulando o almoço. Esse conceito de perda de peso é um equívoco, está ultrapassado. Jejuar é o princípio básico para quem quer engordar e ter mau hálito.

Quando você submete seu organismo a prolongadas abstinências alimentares, ele entende que deve estocar energia para uma emergência. Assim, o corpo se prepara para situações de pouca comida, absorvendo tudo o que pode em cada migalha que você come, prevendo um longo período sem combustível. Se a atitude se repete, ele se treina para agir assim — estocando gordura.

Imagine alguém lhe dizendo que faltará gasolina no fim de semana. A primeira coisa que você faz, independentemente do que aponta o nível de combustível do carro, é encher o tanque. O organismo faz a mesma coisa — ele não quer saber se você comeu muita ou pouca gordura no café da manhã. Se entende que você vai estressá-lo com pouca comida por longo período, ele se previne e guarda o que puder para que não fique à míngua. O resultado é o acúmulo de gordura corporal em locais como o quadril e a barriga, e também em lugares cuja principal função não é estocar gordura, como o fígado. Por isso, o segredo para manter o peso controlado é fazer pequenos lanches ao longo do dia.

Eu sei que hoje há dietas de todos os tipos, incluindo algumas que acho estranhas e até prejudiciais. Não pretendo contestá-las aqui, mas mostrar o que eu faço e entendo ser o melhor para a saúde. Comigo tem dado certo.

Minha dieta consiste em cerca de seis refeições diárias, muito bem balanceadas: lanche pré-treino matinal, café da manhã, lanche matinal, almoço, lanche à tarde e jantar.

Antes, começava meu exercício matinal em jejum. Depois, introduzi um pequeno lanche, com carboidrato e fruta. Para auxiliar a produção de energia e melhorar o meu desempenho, evitando a utilização de proteína muscular como fonte de energia, eu como hoje uma porção de oleaginosas sem sal (no meu caso, castanhas-de-caju). Essa alimentação pré-treino se torna mais necessária com o passar dos anos, pois, a partir de certa idade, o organismo tem menos capacidade de conservar a massa muscular.

Meu café da manhã é composto por mamão com berries, granola caseira e uma omelete de clara de ovo com duas fatias de queijo branco. Nos finais de semana, tomo um café da manhã mais prolongado. É a refeição mais generosa que faço, talvez porque seja a que mais me dá prazer. Como frutas que hidratam o organismo e são ricas em antioxidantes, como melancia, mamão, manga, amora e framboesa, seguidas de uma xícara de café puro e duas fatias de pão integral com queijo branco.

No meio da manhã, além de consumir meus suplementos de vitaminas e minerais feitos sob medida para as minhas necessidades, ingiro frutas e oleaginosas (castanhas-do-pará, amêndoas, nozes-pecã), ricas em gorduras boas, e minerais como ferro, cálcio, selênio, magnésio e potássio. Além do aspecto nutricional benéfico para a condição óssea e cardíaca, a associação do açúcar da fruta com a boa gordura das oleaginosas me mantém saciado por mais tempo, já que a gordura da oleaginosa reduz o ritmo da digestão do açúcar da fruta, contendo assim aquele nosso desejo de beliscar.

Mas, como sempre, é preciso moderar. Não leve um pacote de castanhas, mas uma pequena porção, porque mesmo o que é bom, em excesso pode ser prejudicial.

É importante que cada um busque no quesito dieta as alternativas mais saudáveis, mas também prazerosas, para que elas sejam efetivamente executadas. Caso contrário, essas escolhas se tornam um calvário, reduzindo as chances de serem seguidas.

A composição do meu almoço é sempre a mesma: uma salada orgânica bastante variada composta de alface, rúcula, agrião ou espinafre, brócolis, cenoura, beterraba e tomate, temperada com azeite de oliva extra virgem e limão. Ela é acompanhada por uma fonte de proteína de alto valor biológico, como ovos, e grãos, como feijão branco ou grão de bico, como fonte de carboidrato de baixo índice glicêmico.

Costumo sempre que possível ingerir alimentos orgânicos por terem menos carga tóxica. E busco incluir folhas verdes escuras por serem mais ricas em nutrientes. Além disso, vegetais como brócolis e couve-flor possuem substâncias que promovem o bom funcionamento do fígado e assim ajudam na prevenção de alguns tipos de cânceres. Eles também são antioxidantes, como o betacaroteno, encontrado na cenoura e em frutas como manga e mamão, muito acessíveis. A beterraba ajuda na circulação sanguínea, protegendo meus vasos. Já o azeite é rico em gorduras boas e polifenóis, que auxiliam nas funções cardíacas. Para finalizar, o limão é rico em vitamina C e otimiza a absorção de ferro dos vegetais.

Como há em mim um lado prático muito forte, minhas escolhas de fontes de proteína (queijos ou ovos) e carboidrato (grãos) no almoço vêm do meu hábito de comer no escritório diariamente. Por isso, evito pratos que necessitem de um preparo mais elaborado.

À tarde, no trabalho, como mais um lanche quase no final do expediente. Ele é geralmente composto por abacate (rico em gordura monoinsaturada ômega 9, vitamina e potássio), e uma fonte proteica.

Guardo para o horário noturno o momento para pratos mais elaborados, até por questões sociais. E digo mais: nas noites de domingo, normalmente como pizza.

De um modo geral, deve-se tentar suprir todas as nossas necessidades a partir de uma alimentação saudável, colorida e variada. Como mostrei para você, ao longo do dia podemos criar uma grande combinação de alimentos que nos forneça os nutrientes necessários para realizar todas as tarefas da rotina.

Essa variedade é fundamental e vai contra a concepção básica de muitas dietas focadas em restrições alimentares severas. Em geral, o foco de uma boa alimentação não deve ser a exclusão radical de determinados grupos de alimentos, mas sim uma combinação equilibrada entre eles, sem restrições ou ingestões exageradas.

Muita gente acha que para ficar forte e aumentar a massa muscular deve ingerir proteínas em quantidade excessiva. Não é verdade. O carboidrato também favorece o aumento da massa muscular. Além disso, é importante lembrar que a gordura é queimada na presença de carboidrato. Mas aquele carboidrato bom, proveniente dos alimentos integrais.

Outra confusão comum é achar que alimentos light e diet são apropriados para todas as pessoas, quando na verdade foram desenvolvidos para grupos especiais, como diabéticos e cardíacos, entre outros.

Ganhamos e perdemos hábitos ao longo dos anos. Você pode ser uma pessoa que detesta alface e tomate e gosta de pastel, croquete e outras comidas que passam boa parte da vida útil nadando em óleo. Isso não significa que você não possa tentar mudar seus gostos. Pode e deve.

Como disse, tenho disciplina alimentar há muito tempo. Mas estou sempre me atualizando. A grande diferença da minha rotina hoje, comparada à de dez anos atrás, quando escrevi meu outro livro, é que reduzi drasticamente a ingestão de carboidratos com alto teor glicêmico, principalmente os feitos com farinha branca e açúcar refinado.

Opto por consumir apenas carboidratos integrais, como grãos e cereais com baixo índice glicêmico, ricos em fibras, vitaminas e minerais. A presença desses nutrientes, além de favorecer uma saúde intestinal adequada, auxilia no controle do colesterol e da glicemia, e na manutenção de um peso corporal ideal. Como um grande apreciador das frutas, não deixo de inseri-las no meu dia a dia. Mas aqui também opto por frutas com baixo índice glicêmico, especialmente quando as consumo isoladamente. Com o intuito de melhorar o perfil de gorduras em minha dieta, tenho sido cauteloso quanto ao consumo de carnes vermelhas, devido ao conteúdo de gordura saturada, dando preferência aos peixes, fontes de gordura poli-insaturada ômega 3, e às oleaginosas, ricas em gorduras monoinsaturadas ômega 9, além de minerais antioxidantes, como selênio, manganês, cálcio, zinco e ferro.

O que isso tudo mostra? Mostra que somos capazes de escolher os alimentos não só pelo sabor ou aparência, que é o julgamento mais primitivo do ser humano. Não que você tenha de abrir mão do sabor. Na verdade, no momento em que você começa a conhecer melhor os prós e os contras do alimento, ele passa a ter um custo-benefício mensurável. Ou seja, os aspectos nutricionais têm de valer mais do que só o sabor. Se um alimento não vai fazer bem e não tem um sabor excepcional, para que comê-lo?

Essa ideia de fazer escolhas com custo-benefício mensurável, ao contrário de exigir sacrifícios, requer apenas bom senso. Se eu quero tomar um sorvete, vou procurar tomar o de que gosto mais, não qualquer sabor. Só não pode exagerar.

Por isso, os radicalismos alimentares são totalmente contraproducentes. O importante é a variedade e o equilíbrio. Tempos atrás resolvi eliminar as carnes de minha vida. Fui radical: eu me privava de carnes mesmo quando desejava comer uma de vez em quando. Parei com essa bobagem de tudo ou nada. Se eu comer muita carne, me sinto pesado, meu organismo reclama, mas não é por isso que vou eliminar a carne para sempre. Ser flexível é fundamental. A cervejinha de vez em quando é importante. Só não pode exagerar.

O conhecimento e o interesse por assuntos ligados à alimentação vêm crescendo muito. Temos hoje acesso muito maior a informações nutricionais e diferentes tipos de preparos, que desmitificam a noção de que comida saudável é comida sem gosto. Mas, apesar de toda essa informação disponível, é importante ter em mente que cada indivíduo é único, e dessa forma é fundamental respeitar as individualidades bioquímicas e genéticas de cada um ao estabelecer uma alimentação saudável.

Depois de algum tempo comendo alimentos saudáveis e leves, é muito provável que seu paladar já não vibre tanto com comidas gordurosas, e que seu organismo reaja mal a elas.

Não há dúvida de que o fato de você se sentir sempre bem, leve e disposto após as refeições contribui definitivamente para a reorganização de seu cardápio. Seu organismo lhe agradece cada decisão certa tomada à mesa. Você rejuvenesce, seu organismo funciona melhor, sua pele melhora.

Não poderia encerrar este capítulo sem falar dos alimentos orgânicos. É impossível ignorar sua importância e seu consumo crescentes, uma vez que fazem bem à saúde e podem ter papel fundamental na preservação do planeta.

Mas o custo da produção de orgânicos ainda é muito alto, o que torna difícil imaginar que toda a população possa consumi-los em breve.

Nossa família está engajada na produção de orgânicos. No interior de São Paulo, desenvolvemos a Fazenda da Toca, talvez o maior projeto no Brasil nessa área. Investimos muito em pesquisa, buscando caminhos para viabilizar seu consumo em larga escala e que traga efeito positivo na preservação dos recursos e da diversidade do nosso planeta.

Aqueles que pensam em vida saudável e sustentabilidade precisam se preocupar em como será o mundo para seus filhos e seus netos. Como será o mundo em trinta, quarenta anos? Como será a vida da minha filha Rafaela, hoje com dez, daqui a quarenta anos? A busca de alimentos saudáveis que preservem nosso planeta ajudará a encontrar a boa resposta.

13. Controle do estresse

Seja o condutor — nunca o passageiro
— do carro da própria vida.

O controle do estresse se dá fundamentalmente pela definição do que é importante e do que não é importante na vida. O que pode de fato me levar ao estresse? Pelo que e por quem vou me estressar? No meu livro anterior, falei de vida sem estresse. Agora falo de controle do estresse. O estresse, afinal, existe. Mas podemos controlá-lo ao nos fazer essas perguntas.

O primeiro passo fundamental é definir o que é importante. Ensino isso aos meus alunos na FGV. Peço que eles tragam um caderno de cem folhas e comecem a listar o que de fato é relevante em suas vidas. Depois de algum tempo, eles não preencheram mais de três ou quatro linhas. Sabendo o que importa, fica mais fácil conduzir a vida.

Depois que aprendi isso, sempre me apoio no que é realmente importante. Primeiro, a minha família e a minha saúde. Depois, as minhas atividades empresariais e esportivas, meu relacionamento com as pessoas, meus amigos. Com essa consciência de que temos diferentes papéis e atividades, uns mais importantes que outros, podemos isolar ou reduzir o grau de estresse no dia a dia.

Quando surgiram problemas na minha vida empresarial no Pão de Açúcar, por exemplo, ficou muito claro para mim que só aquela área da vida estava sendo afetada. Todas as outras estavam em equilíbrio. Assim, me refugiei em tudo o que tinha de bom nos meus outros papéis e atividades para conseguir suportar aquilo por longo tempo e superar todas as dificuldades e o estresse terrível daquela disputa.

Não é que tenha sido fácil. Entre as condições que considero essenciais para uma vida de boa qualidade, a única que não está inteiramente sob o nosso controle é o estresse. É um inimigo poderoso e cheio de artimanhas. Age quase sempre de forma sorrateira e, quando nos damos conta, já nos dominou e nos envolveu numa situação difícil. Controlá-lo é bem mais complicado, por exemplo, do que praticar uma atividade física ou do que ter uma alimentação equilibrada — hábitos igualmente fundamentais para quem busca uma vida saudável.

A vida corrida nas cidades, as exigências profissionais cada vez mais pesadas, as fases de aperto financeiro, as cenas de violência que presenciamos na rua... Há inúmeras situações alheias ao nosso controle que podem nos levar ao estresse. Por isso, para combatê-lo, *você deve ter atitude*. A atitude emblemática, que engloba todas as ações que abordo neste livro, resume-se bem na seguinte imagem: seja o condutor, nunca o passageiro, do carro de sua vida. Essa frase sintetiza, com clareza, a maneira como passei a encarar o mundo depois de superar os acontecimentos mais difíceis que enfrentei. Ela quer dizer o seguinte: cada um de nós é capaz de orientar sua vida na direção daquilo que deseja. Ser o motorista desse carro, no final das contas, significa exercer o direito de escolher que rumo seguir, o que fazer e a que velocidade andar. É, no fundo, aquela autonomia que todos nós perseguimos. Desde que compreendamos bem o significado — e os limites — dessa frase, todos podemos fazer o papel desse motorista.

Considero fundamental uma reflexão a respeito de nossas possibilidades de conduzir esse carro — e digo de cátedra que elas são sempre maiores do que imaginamos. Você talvez diga que posso dirigir como quero porque sou um empresário poderoso e presidente do conselho de uma empresa. Não é verdade. Não estou falando de exercer poder sobre os outros — o que é sempre relativo, mesmo sendo dono de um negócio: nas relações empresariais, alguém ou algo sempre exerce força sobre você. Estou falando, em última instância, de exercer poder sobre si mesmo. De ouvir o que seu corpo e seu espírito pedem que faça.

Quer dizer: é saber o que é importante e se permitir chegar o mais próximo possível de suas prioridades na vida. E isso não significa só trabalho. Trabalho é importante — você deve fazer algo que lhe dê prazer ou de que possa extrair satisfação. Mas não falo só disso. Na verdade, há muitas outras coisas na vida que devem ser levadas em conta e que precisam estar ajustadas aos seus desejos. De modo geral, passamos boa parte do tempo nos sabotando para não concluirmos nossas prioridades: damos desculpas para o trânsito que nos perturba, reclamamos que o trabalho nos azucrina e que temos pouco tempo para fazer o que queremos. Diante de tantas frustrações, vem o estresse. E, no entanto, a única pessoa que pode mudar esse quadro é você.

Se você tem a capacidade de dirigir o carro de sua vida, pode direcioná-lo para o que e onde quer. Portanto, se é para falar de poder aqui, lá vai: *você pode mais do que as outras pessoas*, as que andam no banco do passageiro. Nessa posição, você se desvia de boa parte das situações que causam aborrecimentos. E o que isso tem a ver com estresse? Quando você identifica fatores causadores do estresse e consegue controlá-los, sua vida se torna bem mais leve. Você se desvia deles, como se desvia de um engarrafamento.

Estresse é um assunto sobre o qual, contra a minha vontade, posso falar com autoridade. Minha vida foi, até uma determinada época, um amontoado de situações complicadas e estressantes. Com minha família, com minha empresa e com o mundo. Felizmente, não há mal que sempre dure — sobretudo quando agimos com afinco para controlá-lo. Além de trabalhar pesado para superar as dificuldades materiais enfrentadas pela companhia, procurei ajuda médica, passei a me conhecer melhor e a encarar o mundo de uma forma diferente, mais positiva, mais otimista, menos complicada. O importante, em primeiro lugar, é você ter consciência de onde vem seu estresse, para evitá-lo, torná-lo menor ou prevenir-se.

Quando me livrei de todo aquele passado, passei a refletir sobre os fatos que me causavam estresse. Depois de ter superado o pior e de sobreviver a causas estressantes reais, o que, afinal, teria o poder de me deixar com os nervos à flor da pele? Com o que, afinal, valia tanto a pena me estressar depois de ter sobrevivido a um sequestro, à bancarrota e a brigas familiares? Nada, claro. Portanto, eu devia mudar minha relação com aspectos fundamentais de minha vida, como a maneira pela qual me relacionava com o mundo. Então, decidi: naquilo que dependesse de mim, naquilo que estivesse ao meu alcance, eu faria de tudo para manter-me o mais próximo possível da serenidade. Isso é uma atitude de quem procura ser o condutor do carro de sua vida. A questão óbvia era que eu não tinha uma varinha de condão para manter todas as situações desagradáveis distantes de mim. Mas precisava encontrar uma maneira de manter-me longe delas. Como?

De um modo geral, não custa dizer, sempre fiz tudo o que os manuais apontam como a maneira mais eficaz de tirar o excesso de peso de nossos ombros. Refiro-me àqueles antídotos naturais que nunca devem ser desprezados: sono regular, atividade física constante e bem planejada, alimentação controlada. Sou atleta há anos e nunca fui de dormir tarde. Sempre me alimentei bem e com moderação e jamais abusei do álcool. Aprecio um copo de vinho em determinadas refeições, mas não faço disso um hábito diário.

E foi aí que, de tanto pensar em me manter distante do que me tirava do sério, me dei conta de um detalhe: minha principal fonte de estresse não eram os meus hábitos mais visíveis. O problema era meu, não do mundo cruel lá fora. O estresse, concluí, existiria em quaisquer circunstâncias — estivesse eu com problemas financeiros ou não; tivesse a família contra ou não —, porque cabia a mim dar o devido peso às coisas e torná-las dignas de me tirarem do sério. Sendo assim, eu é que devia eleger o que era importante a ponto de merecer minha tensão. E eu queria, a partir daquele momento, que o mínimo de coisas tivesse essa propriedade.

Portanto, vai aqui outra lição que tirei de tudo isso e que exponho a você: *para controlar o estresse, é preciso, antes de tudo, separar o que é importante do que não é importante.* Isso parece simples, mas não é. Muito do que você faz nas dezoito horas em que está acordado é absolutamente inútil. Não agrega nada a você. Ao contrário, tira energia de seu dia, toma seu tempo, consome sua atenção, tira o rumo. Mas você nem percebe, faz automaticamente, trombando com coisas pequenas e chatas: percorrer quilômetros por dia de carro no trânsito, deixar-se levar por uma necessidade de pressa permanente, fazer as refeições em um lugar feio ou barulhento. Há tantas coisas, tantos detalhes.

Uma sugestão que lhe dou é: cuide de sua agenda. É possível organizar seus horários de maneira que sobre tempo para você? Claro que sim, desde que haja organização. Tente compartimentar suas atividades sob a indicação de prioridades alta, média e nula. Se você conseguir eliminar as inutilidades, certamente sobrará tempo para você fazer o que julga ser de alta prioridade.

Por exemplo: você precisa mesmo falar pessoalmente com alguém? Não dá para falar por telefone? E, mesmo que seja por telefone, educadamente não dá para ser uma conversa curta e objetiva? Canso de ver pessoas espremidas pelo tempo, incapazes de se desvencilhar de um telefonema! Nesse caso, o celular ajuda ou atrapalha? Ajuda. É mais uma comodidade da tecnologia. Mas também com ele temos de saber dizer *não*: "Desculpe, falo mais tarde com você, agora estou ocupado". Muita gente fica se queixando, pondo a culpa no celular, dizendo que não tem tempo para nada, que o celular não para de tocar. Desligue-o em determinados momentos e seja objetivo nas suas conversas. Organize-se. Assim lhe sobra mais tempo para, após o almoço, passar numa livraria, olhar vitrines ou sentar num banco de jardim. Conceda-se minutos de contemplação e calmaria no dia a dia. Eu, como já disse, após comer minha salada na hora do almoço, recosto por alguns minutos e me desligo.

Outro ponto. Quando, no seu cotidiano, você se estressa? Quando percebe que não conseguirá cumprir tudo o que exigem de você. Ou quando há tanto a fazer que você não consegue atender às prioridades — como fazer seus exercícios ou ir à reunião de seu filho na escola. Lembro que, na busca por uma solução antiestresse, refleti com atenção sobre meu temperamento. Vi o que fazia de certo e o que fazia de errado e entrei numa espécie de acordo comigo mesmo: se quisesse manter distância do estresse e impedir que pequenas questões se transformassem em monstros, deveria encarar a vida de uma maneira mais positiva.

Não poderia permitir que contrariedades menores afetassem meu bom humor. Não poderia, muito menos, querer impor o meu modo de pensar a todo mundo. Deveria procurar enxergar os acontecimentos pelo lado positivo — sem, é claro, cultivar ilusões ou virar as costas para problemas que exigissem minha atenção. Isso talvez já fosse suficiente para produzir mudanças significativas na minha qualidade de vida.

Nesse sentido, acabei desenvolvendo uma pergunta que faço a mim mesmo e estimulo os outros a fazerem em momentos de estresse: "Isso é uma tragédia?". Quando você se faz essa pergunta, reflete sobre o que está à sua volta e percebe que praticamente tudo o que lhe estressa está muito longe de ser uma tragédia, relativizando a tensão. Muito pouca coisa na vida pode nos levar de fato a um grande estresse.

Depois que pus em prática a decisão de não mais me aborrecer com os pequenos problemas, descobri um detalhe preocupante: como é grande nossa capacidade de transformar obstáculos minúsculos em muralhas intransponíveis. Normalmente, nos irritamos com situações absolutamente corriqueiras, das quais poderíamos nos livrar com a simples decisão de escolher aquilo que tem e aquilo que não tem o poder de nos contrariar. Falo de questões banais. Quer o exemplo de uma? Que casal jamais discutiu por motivos fúteis como a que filme assistir no final de semana ou a que restaurante ir? Esse é o tipo de discussão que pode ser eliminada de nossas vidas com a simples decisão de não nos deixar abater por isso.

Discussões por razões tolas como essas são mais frequentes do que imaginamos e são capazes de causar estresse num nível muito elevado — e absolutamente desproporcional à sua importância. É diante de situações como essa que eu insisto: todos temos, de alguma maneira, o poder de escolher aquilo que pode e aquilo que não pode nos irritar. No passado, eu me deixava incomodar por discussões dessa natureza e não cedia um milímetro nos debates. Decidi que situações desse tipo não deveriam merecer nem mais um segundo de estresse na minha vida.

Parece simples demais — e é para ser, mesmo. Falsos dramas, que podem ser evitados a partir da decisão de não nos deixar cair em armadilhas, são encontrados em todos os ambientes que frequentamos. Eu, você, seu vizinho, já discutimos com estranhos em filas de cinema, nos atracamos com bobagens no trabalho, que, olhando friamente, eram estúpidas demais para serem levadas a sério. Pense no gosto amargo que deixam na boca depois do confronto. Pense na eventual vergonha que poderá sentir quando descobrir que você discutiu por algo que não passava de um mal-entendido. O estresse já fez sua marca, você já ficou mais desgastado. Se você tivesse o poder de voltar atrás e se, naquele momento do tudo ou nada, em que liberamos a nossa raiva, você desse de ombros e seguisse com sua vida, teria se sentido melhor.

Tente se lembrar das últimas situações que o deixaram irritado. Você notará que a grande maioria delas poderia ter sido evitada com a simples decisão de impedir que uma pequena divergência o pegasse, ganhasse espaço em seu corpo e o tirasse do sério. Afinal, o que é tão importante assim?

Não convém permitir que motivos banais se prolonguem dentro de você e se tornem sentimentos desagradáveis. E isso, como eu já disse, depende apenas de uma decisão sua, da maneira como você conduz seu carro da vida.

Vamos pensar juntos. Se eu tivesse de eleger o principal elemento gerador do estresse, aquele que é causa ou pretexto para a maioria dos problemas que as pessoas carregam no seu dia a dia, eu não teria dúvida em apontar: a forma de lidar com o tempo. Isso mesmo. Aprender a administrar o próprio tempo e a organizar a agenda de maneira prática e racional, como já disse anteriormente, é um passo fundamental para quem pretende se manter afastado do estresse.

Depois que me dei conta da relação entre o bom gerenciamento do tempo e o controle do estresse ficou muito mais fácil evitar uma série de pequenos aborrecimentos. Administrar o tempo é o tipo da possibilidade que está aí, diante dos olhos de qualquer um, mas que poucas pessoas trabalham para alcançar. Muita gente considera os problemas causados pela má administração do tempo uma espécie de fatalidade e, ainda por cima, sai procurando culpados pelos transtornos causados exclusivamente pela própria desorganização.

Quer um exemplo? O trânsito carregado transformou-se numa fonte inesgotável de irritação. Estar dentro de um carro é, para muita gente, sinônimo de afobação, de esgotamento, ou coisa pior. A verdade, no entanto, é que ninguém perde a paciência por causa do trânsito. Você se irrita porque está atrasado, porque tem alguma coisa a fazer e porque sabe que não chegará a tempo em seu destino. E o impressionante é que muitas vezes somos nós mesmos — e não o trânsito — os causadores de todo o atraso.

Você ganha mais se, em situações normais, reservar tempo suficiente para o trajeto entre seu escritório e o endereço de um determinado compromisso. O que fazemos? De um modo geral, deixamos para sair quando faltam poucos minutos para o início da reunião. Todo mundo parece acreditar que pode sair um pouco atrasado sem qualquer problema. E que, no final da história, conseguirá recuperar no trânsito o tempo que perdeu ao retardar a saída. Quase sempre acontece o contrário: o trânsito não coopera e o atraso causado não pelos engarrafamentos, mas pelo mau gerenciamento do tempo, traz chateação e causa muito mais estresse do que deveria. Não custa nada refletir sobre o verdadeiro culpado por esse tipo de situação — e sair mais cedo.

Como não é possível consertar o trânsito de uma cidade como São Paulo com um simples estalar de dedos, o melhor é aprender a lidar com ele. Hoje, inclusive, temos a ajuda de ferramentas como o Waze que dão informações precisas sobre o tempo de deslocamento no trânsito. Mas não vale achar que é possível chegar em menos tempo do que está previsto pelo aplicativo.

É preciso levar em conta não só o tempo que será gasto nas tarefas principais, nas reuniões e nas providências mais importantes. É necessário considerar também o deslocamento, a pausa para o lanche no meio da tarde, a leitura dos jornais e mais uma série de situações que, de um modo geral, não nos parecem importantes o suficiente para merecer um apontamento em nossa agenda. Não parecem, mas tomam tempo da mesma forma.

Anotar um compromisso atrás do outro e se esforçar para dar conta de todos ao longo do dia é uma utopia. Quem age assim transforma a missão de cumprir toda a agenda em mais um elemento gerador de estresse. As palavras-chave para a boa administração do tempo são organização e disciplina — e é em torno delas que gira todo o resto. É necessário constatar o seguinte: ninguém deve incluir na agenda mais compromissos do que ela comporta.

O que isso significa? Muito simples. Ao organizar a agenda é preciso acomodar cada reunião, cada tarefa em seu devido espaço e ainda deixar intervalos razoáveis entre um compromisso e outro. Esse tempo, o do intervalo, será usado para retornar os telefonemas, resolver pendências e até ir ao banheiro ou se permitir relaxar alguns minutos no meio da correria. O mais importante de tudo, no entanto, é que esses espaços mais longos, entre um compromisso e outro, funcionam como uma espécie de amortecedor: se aparece uma situação de emergência que precisa ser resolvida, a pessoa poderá dedicar tempo a ela sem precisar desarticular todo o seu dia.

Aqui vai mais um conselho importante em matéria de gerenciamento de tempo: programe-se com a maior antecedência possível. Começo o ano já com a ideia de alguns pontos importantes da minha agenda ao longo dos doze meses seguintes. Pela posição que ocupo numa empresa de grande porte, com sócios estrangeiros e parceiros em diversas partes do mundo, tenho de marcar alguns compromissos com enorme antecipação. Algumas de minhas reuniões, sobretudo aquelas que exigem grandes deslocamentos ou que envolvem encontros com pessoas com obrigações semelhantes às minhas, são agendadas meses antes da data. Isso, claro, para os casos especiais. De um modo geral, não é necessária tanta antecipação. Os especialistas em administração do tempo acreditam que uma semana de antecedência é suficiente para se fazer um bom planejamento.

Existe uma razão básica para isso: se você deixa para programar sua vida com apenas um dia de antecedência, pode ter a noção de que aquele espaço de tempo é insuficiente para dar conta de tudo o que precisa ser feito. Essa sensação desaparece quando se consegue distribuir compromissos ao longo de um período mais extenso. A programação deve incluir tudo o que se pretende fazer ao longo da semana — não apenas os compromissos profissionais. É bom anotar a hora da ginástica, a hora do cinema, a hora do encontro com os amigos. A partir do momento em que você se habitua à rotina de administrar o próprio tempo, a agenda se transforma numa espécie de bússola: passa a apontar naturalmente o caminho que deve ser percorrido para tornar os dias mais proveitosos.

Nas empresas em que atuo, damos muita importância a programas que possam melhorar a capacidade de gerenciar o tempo de nosso pessoal. Nos anos 1990, no período em que trabalhávamos na reconstrução do Pão de Açúcar, tivemos conhecimento do livro *Os 7 hábitos das pessoas altamente eficazes*, de Stephen R. Covey. Nós nos identificamos tanto com suas ideias que, ao saber que o Instituto Franklin Covey, de Salt Lake City, nos Estados Unidos, havia desenvolvido uma metodologia destinada a ensinar os sete hábitos a executivos, logo procuramos uma maneira de levar esse conhecimento às pessoas do Pão de Açúcar.

Como ainda não havia no instituto profissionais licenciados para ministrar o curso em português, encontramos outra solução. Dois dos nossos executivos de recursos humanos viajaram para os Estados Unidos para conhecer o curso e reproduzi-lo na nossa organização. Os hábitos desenvolvidos a partir desse treinamento são realmente úteis para quem pretende ter controle sobre essa variável fundamental.

Alguns dos sete hábitos dizem respeito direta ou indiretamente ao controle do tempo e à organização da agenda. De um modo geral, o método mostra a importância de elegermos nossas prioridades e, a partir delas, definirmos as tarefas que, de fato, terão importância para nós. Além disso, mostra como as atividades supérfluas e acertadas em cima da hora costumam embaralhar o dia.

Defendo com convicção uma ideia que, à primeira vista, pode causar certo espanto, caso você tenha uma atitude mais relaxada em relação ao controle do tempo. Muita gente acredita que o verdadeiro dono do tempo é aquele que leva uma vida sem horários, sem rotinas organizadas, e que é a falta de compromissos acertados com antecedência que garante o direito de fazer o que quiser na hora que bem entender. Alguns chegam ao absurdo de dispensar o uso do relógio, como se esse instrumento de marcar a hora fosse uma máquina diabólica que os mantivesse presos a compromissos desagradáveis. Tudo bem se você não quiser usar o relógio no braço. Mas não deixe de olhar a hora no celular. Não ignore o tempo.

Quanto mais você domina o tempo, mais pode usá-lo a seu favor. Mais ele lhe pertence. Isso sim é ter sucesso — e não ser um empresário bem-sucedido, um artista famoso ou um cientista ganhador do Prêmio Nobel. Costuma-se dizer que quando Deus criou o mundo, deu o mesmo quinhão de tempo para cada um de seus filhos — e a liberdade para que cada um o usasse como bem entendesse. O que cada um fez com seu tempo é que gerou a desigualdade entre os homens.

A programação e a agenda organizada são, é claro, a parte mais aparente de uma série de atitudes e decisões que tomamos quando percebemos a importância de definir nossas prioridades. Uma agenda só será eficaz — e só teremos a disciplina necessária para cumpri-la — se for preenchida com atividades das quais precisamos ou que queremos fazer. Essa palavra — prioridade — é fundamental.

Vou mais longe. Acredito que alguém só consegue ter uma vida feliz — e, portanto, de qualidade — quando se dá ao trabalho de olhar para dentro de si e se conhecer a ponto de definir quais são suas prioridades. É com base nelas, volto a dizer, que se estabelecem as rotinas. Eu adoro minhas rotinas. Afinal, sou eu mesmo que as faço! Se você faz as suas, vai adorá-las também.

É fundamental, no entanto, não perder a flexibilidade — até para ser possível alterar a rotina segundo as próprias conveniências. Costumo jantar fora às quintas-feiras. E se eu quiser jantar fora também em uma terça? Claro que posso. Claro que sim. O que eu pretendo mostrar aqui é o seguinte: quem tem uma agenda organizada e disciplina suficiente para cumpri-la faz o que quer, na hora que escolhe. Pode ser que exista gente muito competente que consiga fazer tudo aquilo de que gosta e precisa sem se organizar. Para as pessoas comuns, repito, ter as rotinas bem definidas e a agenda em ordem é fundamental. Isso implica também dizer não. Alguém aparece com algo que não está nos planos, de última hora, e não é urgente? Diga-lhe não. Se disser sim a esse alguém, estará dizendo não a si mesmo, porque inevitavelmente terá de abrir mão de algo que programou e que acabaria revertendo em momentos mais agradáveis.

Procuro sempre estimular as pessoas a dizer não aos superiores que os convocam para reuniões no final do horário de trabalho. É lógico que, em situações de emergência, todos devem ficar na empresa pelo tempo que for necessário. Mas, se o problema puder ser discutido no dia seguinte, ou se for um assunto de rotina que poderia ter sido tratado em qualquer outra hora, a pessoa tem todo o direito de dizer não ao superior. Um dos sentimentos de Covey vai justamente nessa direção. Segundo ele, é necessário evitar as emergências, antecipando-se a elas. Se a pessoa permitir, as emergências acabam se transformando em rotinas. E esse é o pior e o mais estressante dos cenários.

Normalmente, as atividades profissionais devem ser organizadas no período estabelecido para essa finalidade. No Pão de Açúcar, e agora na BRF, nosso pessoal sempre trabalhou duro, e a exigência de qualidade que impomos às vezes cria certa pressão no ambiente. Eu disse pressão, que gera resultados, e não tensão, que só causa estresse e piora o clima dentro de uma organização. Mesmo assim, existe em nossa cultura interna a ideia de que não se deve prolongar a permanência na empresa além do horário, nem se deve varar a noite entre relatórios e reuniões. Isso é contraproducente.

Muitos desses conceitos que defendo hoje em dia incorporei depois de experimentar fazer tudo pelo jeito mais difícil. Muito cedo assumi responsabilidades que outras pessoas só alcançam quando já estão em idade madura. Tinha pouco mais de vinte anos quando meu pai e eu fundamos o Pão de Açúcar. A empresa se consolidou e cresceu rapidamente e, jovem ainda, me vi no comando de um batalhão. Minha posição na empresa me conferia autoridade sobre minha agenda, mas eu não tinha a noção do que significava ter controle sobre meu próprio tempo.

Já naquela época eu me considerava organizado. Tinha uma agenda controlada por minha secretária e me esforçava para cumpri-la. Tomava nota de tudo para não esquecer os compromissos e procurava manter sempre limpa minha mesa de trabalho. Aquela organização era só aparente. Eu era, como a maioria das pessoas, do tipo que não previne o incêndio. Espera o fogo surgir para, então, tratar de apagá-lo. Eu me mantinha em guerra permanente contra o relógio. Trabalhava quinze, dezesseis horas por dia. Vivia agitado e com a sensação de que, por mais que eu fizesse, mais havia ficado por fazer.

Tenho certeza de que muitas pessoas se identificam com o que acabei de dizer: sabem muito bem o que é trabalhar duro ao longo de quinze horas e, no final da jornada, ter a sensação de que o dia foi improdutivo. O preço que pagamos quando utilizamos mal o tempo é um dos fatores causadores do estresse que mais podemos controlar. É importante, no entanto, procurar enxergar o todo e, para isso, o fundamental é ter sempre uma atitude mais positiva em relação à vida. Descobrir isso é mais fácil do que parece.

A arte de dirigir o carro da própria vida começa pela atitude da pessoa diante das situações com as quais convive. Certa dose de otimismo é fundamental — previne contra o estresse. Isso mesmo: o otimismo ajuda a tornar a viagem nesse carro muito mais tranquila e agradável. É claro que não estou falando aqui do otimismo irresponsável, baseado nas ilusões criadas pela ingenuidade. Não devemos semear ilusões, até porque as desilusões são muito duras. Um dos tipos de contrariedade que mais pesam nas nossas vidas são aquelas causadas por elas. Se você quiser ter devaneios, brincar com as ideias, não tenha ilusões, tenha fantasias e exercite sua capacidade de sonhar. Se você quiser alcançar uma meta estabelecida, tenha ambições reais, organize-se e planeje o caminho a seguir. Quando falo em atitude positiva, incluo desde uma dose alegre e saudável de otimismo até a tomada de decisões sobre aquilo que é importante e aquilo que não merece, de forma alguma, esse rótulo.

Aceite minha sugestão: não se aborreça com os pequenos problemas, assuma suas prioridades e saiba controlar o tempo. Além disso, passe a se preocupar mais seriamente em separar aquilo que faz a diferença em sua vida daquilo que não tem a menor relevância. A consequência será uma redução brutal da carga de estresse. E, mais do que tudo isso, uma vida muito mais serena.

14. Autoconhecimento

*Quero ser hoje melhor do que ontem;
e amanhã, melhor do que hoje.*

Quem leu o livro que publiquei dez anos atrás sabe que travei uma grande luta comigo mesmo para ser menos briguento, voluntarioso e impulsivo. Conquistei a capacidade de me relacionar de forma equilibrada, compreendendo as pessoas e estabelecendo com elas vínculos mais criativos, mais agradáveis e mais produtivos. Eu me tornei mais maduro, mais afável e mais fácil de conviver. De lá para cá, aconteceram muitas coisas que puseram à prova essas conquistas. Passei por verdadeiras revoluções que levaram a uma reestruturação importante em todas as dimensões de minha vida. Numa fase em que muitas pessoas colocam seu burro na sombra, iniciei uma série de novos projetos. Enfrento agora novos e importantes desafios, que me trazem mais conhecimento de mim e da vida.

O senso comum diz que após certa idade as pessoas devem se recolher. Devem se dedicar aos netos, organizar os álbuns de fotografia do passado, cuidar da casa e dos velhos amigos. Já não existiria lugar para as paixões da juventude nem motivação para grandes batalhas e desafios. Conservar o que já se tem e ceder espaço para os mais novos parece ser o certo.

Dentro desse pensamento, chega a ser ridículo alguém na "melhor idade" se dispor a fazer coisas vistas como exclusivas dos jovens. Pois bem, fiz tudo errado. Tudo errado em relação a essa maneira de pensar. Acontece que esses últimos anos têm me trazido grandes alegrias e prazeres. Sinto-me vivo, cheio de energia e muito satisfeito com minhas novas realizações.

Você pode pensar: Esse Abilio não está querendo cair na real, não está querendo aceitar o envelhecimento e pensar na morte. Vou confessar que detesto pensar e falar em morte. Aliás, detesto perder seja lá o que for. Costumo dizer que minha máquina de calcular não tem os sinais de subtração ou divisão. Mas isso é brincadeira, não sou louco. Pois bem, morrer é perder tudo o que a gente tem aqui na Terra. Tudo! Mas eu não sou católico e religioso? Não sei que terei vida depois da morte? Não tenho me esforçado para ter o destino dos justos quando o meu fim aqui na Terra chegar? A resposta enfática é sim. Mas, como disse antes, detesto perder. Gosto da ideia de ganhar a vida eterna, mas tenho horror de perder tudo o que tenho nesta vida.

O lado material certamente traria as menores perdas, mas admito que gosto muito dele também. Não quero perder meus negócios, meus empreendimentos. Não falo puramente do aspecto material disso, mas da atividade, do jogo, da dimensão lúdica e esportiva de tudo isso. Não quero perder a minha ginástica, as minhas atividades esportivas.

O mais duro, porém, seria perder as pessoas, o olhar das pessoas, a simpatia, o carinho e o amor que me dedicam. E perder o dia a dia com elas. Esse dia a dia cheio de emoções, boas e más. Com amores e brigas, com disputas e momentos mágicos de ternura e paixão. Essas coisas humanas, bem humanas. Imagino que na outra vida haja satisfações imensas, que superem todas as outras, mas isso não diminui em nada meu desagrado com a morte. Pode ser que, com mais amadurecimento, eu me torne mais desapegado, mas isso ainda não aconteceu. Se morrer um dia, será contra a minha vontade!

Uma vez tendo esclarecido isso, posso confessar qual é a minha atitude prática diante dessa questão. Parto do princípio de que sou imortal e vivo como se fosse continuar por aqui para sempre. Costumo dizer de forma leve e até certo ponto brincalhona: sou imortal, essas providências que tomo sobre sucessão e outras coisas são para alguma situação imprevisível e completamente improvável.

Como essa atitude não é lá muito madura, ela tem me ajudado a realizar uma porção de coisas que me fazem sentir muito jovem. Se eu tenho tempo infinito pela frente, posso me lançar em projetos empresariais, familiares e sociais sem ficar pensando, como muitos, que não valeria à pena dado o "pouco tempo" restante. Bem, foi exatamente isso que aconteceu nesses últimos dez anos. Em vez de eu recolher minha nave, ancorando-a em porto seguro, saí para alto-mar.

Apaixonei-me por uma moça muito mais jovem do que eu, e foi maravilhoso. Senti meu sangue correr nas veias como se tivesse 25 anos. Geyze conhecia meu trabalho, e podíamos discutir os assuntos da empresa enquanto namorávamos. Muito inteligente, ela me compreendia com facilidade, sabia apreciar minhas realizações e criticar com pertinência, me estimulando e abrindo outras perspectivas. Como não podia deixar de ser, ela queria casar e ter filhos. Seria isso razoável para mim? Não seria mais adequado ter netos? Como seria o futuro com diferença de idades tão grande? Eu conseguiria continuar sendo importante para ela quando ficasse mais velho? Se tivesse filhos com ela, que tipo de pai seria? Você pode imaginar que dei trabalho na terapia.

Não podia me arriscar a perder meu grande amor se demorasse demais para resolver. Achei melhor ampliar a equipe e, junto com a namorada, comecei uma terapia de casal. E terapia de casal não é brincadeira. As coisas explodem com grande rapidez e intensidade, as emoções podem se tornar muito violentas. A terapia de casal é o que os especialistas chamam de terapia vincular. O que se estuda nela é a maneira como as pessoas se relacionam umas com as outras e o quanto os conflitos internos, traumas do passado e a maneira rígida de pensar atrapalham o vínculo e impedem decisões sobre a relação.

Aprendi nessa terapia de casal que queria muito viver as alegrias de ter filhos com aquela mulher e que isso me daria muito trabalho. Num momento da vida em que já tinha imensas conquistas, poderia ser pai e marido de um novo jeito. Mais próximo, mais íntimo, mais envolvido e mais livre.

Casei-me com Geyze e tive dois filhos com ela. Eu de fato havia mudado muito em relação ao que era quando tive os filhos de meu primeiro casamento, e o mundo também havia mudado. Nos velhos tempos, os homens eram menos exigidos nas tarefas domésticas e nos cuidados com os filhos. Confesso que tenho "apanhado". Não é fácil. A esposa e as próprias crianças exigem atenção, dedicação e contato numa intensidade e numa frequência muito diferente do que era no passado. Tive que reformular conceitos e atitudes. Tive que aceitar novos papéis e novas responsabilidades, aprofundando o conhecimento de mim mesmo. Fui totalmente apoiado pelos meus filhos mais velhos, que receberam os novos irmãos e a mãe deles com grande carinho e amizade.

O papel da Geyze nesse nosso convívio familiar tem sido fundamental. É incrível o sucesso que ela teve em promover de forma prazerosa e harmoniosa a união e a convivência entre crianças e adultos e também entre eu e ela.

Felizmente não tive problemas nessa área. E acredito que as coisas que aprendi com as novas situações foram muito benéficas para eu me relacionar também com meus filhos mais velhos.

Acho que melhorei muito como pai e chefe de família. E muito disso veio do autoconhecimento que conquistei com a terapia e pessoalmente. Com maior autoconhecimento, a gente se entende melhor, ajusta os ponteiros e fica mais livre para cultivar o amor, a paixão e as relações humanas em geral.

Essa trajetória em busca de autoconhecimento tomou seu primeiro grande impulso no consultório de minha analista, dra. Iraci Galiás, na década de 1990. Parece que ainda ouço o tom grave e tranquilizador de sua voz orientando-me sobre a melhor maneira de atravessar as noites atormentadas que eu vivia naquela época: "Pegue um pedaço de papel e escreva tudo o que você está sentindo. Coloque ali todos os seus medos. Descreva-os até suas últimas consequências. Imagine o que de pior pode acontecer. Quando amanhecer, releia tudo o que escreveu".

Naquele tempo, eu chegava cansado em casa e caía na cama, certo de que pegaria no sono. No meio da madrugada, o sono desaparecia e dava lugar a uma luta insana entre minha mente e meus problemas. O nome técnico desse problema é insônia terminal, uma das características da depressão. Eu simplesmente não conseguia dormir por mais de duas horas. Despertava, deixava a cama e perambulava pelo apartamento atormentado pelos fantasmas da madrugada, remoendo ardis e lutando contra facções à esquerda e à direita. Quando o dia raiava, toda aquela guerra em minha cabeça diminuía de intensidade. Ficava apenas uma grande sensação de cansaço e desamparo.

Eu vivia um momento muito difícil. Se você passou por experiência semelhante, sabe do que estou falando. Meu maior medo, naqueles dias, era a falência do Pão de Açúcar. Na "lista dos medos" que eu preenchia toda madrugada, esse assunto rendia frases e imagens dramáticas, com cenas de abandono, autodesprezo e ruína pessoal... Mas, no dia seguinte, as palavras que eu tinha escrito pareciam ter saído de outra cabeça. Não me identificava com elas, não me reconhecia naquelas páginas. O exercício foi de uma eficácia tão grande que conseguiu, algumas vezes, uma proeza naqueles dias: me fazer sorrir. As coisas absurdas que eu era capaz de conjecturar na calada da noite lembravam capítulos de novela mexicana!

Guardadas as devidas proporções e o cenário realmente aflitivo e emergencial daquela ocasião, vejo que os exercícios de autoconhecimento que fiz, especialmente por meio das sessões de terapia, produziram em mim transformações que tiveram o mesmo efeito de contraste daquele conseguido com a "lista dos medos". Quando me vejo hoje, constato que mudei a ponto de não me reconhecer em algumas atitudes do meu passado. Posso dizer, com alívio, que me transformei num sujeito muito diferente do que eu era.

Veja você: eu brigava em partidas de polo, era capaz de sair no tapa com um cidadão que me perturbava no trânsito, brigava na garagem do prédio se alguém ocupasse minha vaga e reagia com agressividade diante de qualquer conflito. Eu era assim, e isso parecia uma situação imutável. No entanto, para minha sorte, e das pessoas que convivem comigo, os anos provaram que, quando queremos, podemos mudar. Esforçar-se para reconhecer limitações e superá-las é uma das atitudes que tornam nossa vida melhor.

Quem me conheceu antes e conviveu comigo depois das mudanças ficou grato pelo surgimento do novo Abilio. Para começar, não há mais em mim as características agudas de um estressado: me livrei da tensão permanente, da ansiedade, da impaciência e, consequentemente, do mau humor. Olho para trás e quase não acredito nas confusões que protagonizei — e para as quais inevitavelmente arrastava dois ou três coadjuvantes incautos. Na maior parte das vezes, as causas eram apenas um pretexto para desabafar insatisfações comigo mesmo. E, no fim das contas, as situações me deixavam com a sensação de ter travado um combate com um javali. Hoje, sinto certa preguiça de me imaginar direcionando tanta energia para algo que não me daria um proveito maior do que o de dizer: "Eu tinha razão". Algo exaustivo e inútil.

Essa postura mais serena certamente é resultado da maneira como passei a lidar com as expectativas que tinha sobre mim mesmo. E, embora tenha reservado este capítulo para afirmar que instrumentos como a análise, que levam ao autoconhecimento, são um caminho seguro para você se sentir mais feliz dentro dos próprios sapatos, acho que a consequência disso é ainda mais importante: o modo como passamos a compreender as pessoas com as quais lidamos. Ser feliz consigo mesmo leva uma pessoa a conviver harmoniosamente com as diferenças dos outros. Eis aí um grande passo rumo ao ideal de qualidade de vida.

Você pode estar se perguntando como faria para seguir esse meu conselho, se é que podemos chamar de conselho a revelação que faço aqui. Veja bem, eu precisei fazer análise para me conhecer melhor. Há quem não precise. Há quem consiga analisar as próprias atitudes por conta própria ou com a ajuda das pessoas que ama. De qualquer forma, gostaria de apontar o caminho do autoconhecimento como uma atitude permanente no seu dia a dia.

Se você acha que para se autoanalisar basta ser flexível e aberto o bastante para saber escutar — ainda que em alguns momentos seja doloroso ouvir relatos sobre seus defeitos —, ótimo. Mas a tendência de qualquer pessoa é se defender de críticas. Ou ofender-se. E, durante a defesa íntima que costumamos criar, o natural é rebater as acusações ou renegá-las, se não para os outros, para nós mesmos. Se você for uma pessoa desse tipo, eu posso ser o exemplo de que, mesmo assim, você pode melhorar no momento em que se dispuser a tal.

Eu era um cara duro, não ouvia ninguém. Não estava disposto a entender os motivos pelos quais as pessoas agiam como agiam. A verdade estava comigo. As ideias dos que estavam por perto raramente eram melhores que as minhas. Então, para que ouvi-las? E pior: sendo daquela maneira, eu sofria — por mais paradoxal que essa afirmação possa parecer. Com a intenção firme de procurar analisar permanentemente minhas ações, descobri que um fato está diretamente ligado ao outro: se você é intolerante consigo mesmo, é intolerante com todos. Por isso, conhecer seus defeitos e domá-los é tão importante.

Quando você consegue entender melhor o seu universo emocional, suas fraquezas, medos, e a entender sua maneira de ser, passa a se colocar no lugar do outro. Surge a tolerância e a compreensão. E, quando isso acontece, o jogo se torna uma partida de ganha-ganha: você fica apto a perceber nos outros o melhor que eles têm a lhe oferecer.

Quando algo dá errado, eu costumo olhar para o espelho e não para a janela em busca de culpados. Até porque, quando você olha para si, para as coisas que estão sob seu controle, tem muito mais chance de agir e corrigir. Já quando você olha pela janela em busca de culpados, você não tem controle. Isso é extremamente importante para você não passar a vida reclamando das coisas.

* * *

Hoje eu me vejo como um conciliador: mais para treinador do que para boxeador; mais para bombeiro do que para incendiário. A maneira pela qual consegui chegar a esse ponto, sendo dono do temperamento explosivo que tenho, é a experiência que posso dividir com você. E faço isso com grande satisfação. Tenho claro que quero ser hoje melhor do que ontem, e amanhã, melhor do que hoje. Essa decisão pessoal é um grande começo. Esse é o primeiro passo para rever os próprios atos todos os dias. E voltar atrás quando necessário.

Somos uma construção inacabada. Mas a matéria-prima e o mestre de obras estão em nós mesmos. O que eu viria a me tornar — e o que me tornarei ainda — começou com o desejo firme de me superar em todos os aspectos. Nos últimos anos, cimentei paredes novas, demoli velhas, muitas delas dificílimas de serem derrubadas. Permaneci muito tempo convivendo com aquele garoto gordinho que apanhava na rua nos anos de minha infância — e que produziu em mim uma atitude de guerrilha permanente. A terapia, para mim, foi uma arma poderosa. Exercícios de autoconhecimento são capazes de fazer você se dar conta de que determinados comportamentos repetitivos são, na verdade, sabotadores do seu autodomínio. Quando você, a determinada altura, compreende esse fato, torna-se mais senhor da situação.

Se você não tem conhecimento de quem realmente é e de suas próprias fraquezas, pode se tornar refém de suas vulnerabilidades. Pode se tornar seu maior inimigo. O livre-arbítrio, o senso de autodeterminação, é algo que podemos aprimorar com o tempo e assim aumentar o número de acertos a nosso favor nas decisões e escolhas que fazemos.

É nesse ponto de equilíbrio que você deixa de ser passional para ser racional, torna-se persuasivo em vez de agressivo, tolerante em vez de inflexível e decidido em vez de reticente. No caso das pessoas mais tímidas e manipuláveis, esse pode ser o momento decisivo da virada do jogo a favor delas. Porque é exatamente aí, nesse ponto de guinada, que elas podem sair da posição de passageiro e tomar a direção do carro da sua vida.

A duras penas aprendi que quem acredita ser o dono da verdade raramente chegará a conhecer nem sequer parte dela. Muito menos a verdade sobre si próprio — mesmo porque, se você é um sujeito agressivo, ninguém vai arriscar a integridade física para lhe dizer isso com todas as letras. E quando uso a expressão "duras penas" estou sendo moderado. No meu caso, foram penas duríssimas. Fiquei de cara com a lona depois daqueles fatores divisores de águas aos quais você já foi apresentado.

A busca do autoconhecimento por meio da terapia sempre fez parte da minha vida. Sei que nem todo mundo pode pagar uma terapia. Embora haja, em faculdades de psicologia e serviços públicos médicos, a possibilidade de se submeter a sessões de análise a preços populares ou mesmo gratuitamente, recomendá-los aqui não cabe a mim. Mais que um profissional, é preciso que ele seja experiente, bem treinado e munido de bom senso. Não quero fazer apologia à terapia ou à análise, mas à busca do autoconhecimento.

O que importa nessas questões é a disposição de ouvir, de se entender e de mudar quando e no que for necessário. De que maneira? Comece pensando em como você é e em como gostaria de ser. Digamos que você seja do tipo explosivo ou estressado. Ou ainda do tipo que age muito mais da maneira que os outros querem do que como deseja. Pergunte-se então o quanto isso já atrapalhou sua vida. E aqui lanço mão de um exercício que se inspira na "lista dos medos". Escreva em um papel, no canto esquerdo de uma página, o que você julga serem suas características mais marcantes, uma abaixo da outra. No alto da página, faça duas colunas com as palavras "prós" e "contras". Então, liste à frente de cada característica sua os prós e os contras de tê-las em sua personalidade. Por exemplo, diante da palavra "explosivo", você escreverá na coluna de "contras": "brigas com meu filho; desentendimentos com o chefe; perdi uma promoção; arrependimento". Na fileira dos "prós", você provavelmente não terá muita coisa para escrever sobre essa característica, mas, vá lá, quem sabe dê para arriscar itens como: "não guardo rancor", "sou genuíno" ou "me sinto leve depois de me exprimir".

Um exercício como esse tem um objetivo simples: fazê-lo pensar em si mesmo, enxergando-se de maneira mais clara. Mesmo que você tente maquiar as palavras que escolhe para se descrever, bem lá no fundo você sabe o que sente em relação a essas suas características.

Se elas o incomodarem, você perceberá. E, mesmo que num primeiro momento você relute em escrever toda a verdade sobre as coisas boas e más que provoca a si mesmo, um dia terá um retrato claro do que lhe faz bem e do que lhe faz mal. O mais importante é identificar se essas características lhe dão mais prejuízo do que vantagens em relação ao seu bem-estar e em relação ao convívio com os outros.

Ao longo da minha vida, habituei-me a me autoanalisar. Numa breve retrospectiva, antes de toda a tragédia que revolucionou meu dia a dia e cujo ápice se deu no final dos anos 1980, eu já havia passado por várias sessões de psicanálise. A primeira vez que pisei no consultório de um analista foi, aliás, em função do estresse em que eu me encontrava. Eu estava com 29 anos, veja só: um garoto. Já tinha três dos meus quatro filhos do primeiro casamento, estava completamente envolvido pela ideia de criar uma rede de supermercados e tinha pressa. Muita pressa. Queria resultados rapidamente. Eu era preparado e inteligente, mas arrogante e prepotente. As coisas tinham de ser do meu jeito. E sabe como é: quando você quer obrigar as pessoas a pensar e agir segundo seu ponto de vista, ainda que a razão esteja com você, as coisas se tornam mais difíceis. Para você e para elas.

Lembro-me de que, nessa época, eu lutava para fazer meu pai aceitar minha visão audaciosa. Ele tinha boas ideias a respeito de negócios, mas, se dependesse apenas dele, teria se conformado em transformar a Doceira Pão de Açúcar em apenas uma ou, no máximo, em duas lojas de supermercado. Na visão dele, isso era mais do que suficiente. Eu, ao contrário, percebi que o mercado oferecia uma oportunidade real de construirmos uma empresa grande, da qual me orgulharia um dia e onde deixaria minha marca. O fato é que sempre fui extremamente exigente comigo mesmo e, portanto, com os outros. O garoto carente e inseguro que eu fora persistia em mim — e eu tinha de provar que era capaz. Estava disposto a sangrar as mãos para superar barricadas — mesmo que algumas delas existissem só na minha cabeça.

Quando dei por mim, estava em um cardiologista descrevendo as dores no peito, a taquicardia e outros sintomas da tensão a que eu mesmo havia me submetido com a luta interior que travara. Resultado: o médico me encaminhou a um terapeuta. Um homem como eu, que primava pelo estilo centralizador, poderia ter relutado em compartilhar sua autossuficiência com um estranho. Na época, Luiz Carlos Bresser-Pereira, que sempre foi muito culto e interessado em novidades, me estimulou a seguir o conselho médico. Naquela ocasião, entendi que o aprimoramento pessoal me levaria ao ponto em que queria chegar nos negócios. Portanto, não deveria poupar esforços para alcançá-lo. Encarei a terapia dessa maneira e foi uma das decisões mais sábias que tomei na vida.

Pode parecer banal, mas o princípio de verbalizar aquilo que sentimos, esse velho sistema difundido por Freud, pode ser o passo primordial e decisivo para uma compreensão melhor de nossos atos. Ouvir nossas próprias argumentações, com alguém nos questionando por meio de uma frase simples como "mas por que tem de ser assim?", coloca abaixo os dogmas que estabelecemos para nos defender de situações ruins do passado. São elas, na maior parte das vezes, que impedem nossa felicidade. No meu caso, a psicanálise surtiu efeitos positivos. A ponto de eu não ter passado muito tempo, desde então, sem frequentar as sessões.

A terapia seria decisiva para mim na década de 1980, um período de muitas rupturas na minha vida. A essa altura, já havia passado pelo divã freudiano do dr. Roberto Azevedo durante cinco anos, o que havia operado algumas mudanças sensíveis em minha maneira de lidar com determinados assuntos. Divorciei-me após 26 anos de casamento, decidi deixar minhas atribuições no governo porque me sentia mais frustrado do que feliz, encarei a situação familiar caótica que enfrentávamos e, finalmente, deparei-me com o Pão de Açúcar em frangalhos.

Então, em 1989, fui sequestrado. O quadro de terror estava completo. Quando saí do cativeiro e voltei para casa, acreditei que estivesse apto a lidar com a situação sozinho. Estava numa entressafra de terapia, resolvendo as coisas por minha conta, com os instrumentos que havia obtido até ali. Mas, junto com as lembranças do sequestro, que vinham à tona de tempos em tempos na minha cabeça, a situação da empresa se deteriorava. Eu driblava um boicote familiar, ao mesmo tempo que banqueiros recebiam com frieza minhas tentativas de obter empréstimos para salvar a empresa. Quando o estresse, a exaustão e uma tristeza pesada tomaram conta de mim, fui parar no consultório da dra. Iraci Galiás.

Ela se lembraria de mim. Eu havia estado em seu consultório antes de meu sequestro. A dra. Iraci se recordaria da nossa primeira conversa, um diálogo de apresentação entre paciente e médico. Naquele dia, expus o pavor que sentia ao imaginar a violência de um sequestrador apanhando algum de meus filhos. Na ocasião, ela me perguntou: "Você tem medo de que isso aconteça com eles, e por que não com você?".

Já mais crescidos, Rafaela e Miguel, os filhos mais novos de Abilio, na estação de esqui de Snowmass Village, no Colorado (USA).

A família em frente à Basílica de Santa Rita, em Cássia (Itália), para onde vai todos os anos.

Primeira comunhão de Rafaela, na Igr São José, a igreja frequentada por

Rafaela e Miguel com o uniforme do São Paulo: Abilio dedica ao tricolor paulista grande parte do seu tempo e não perde um jogo do time.

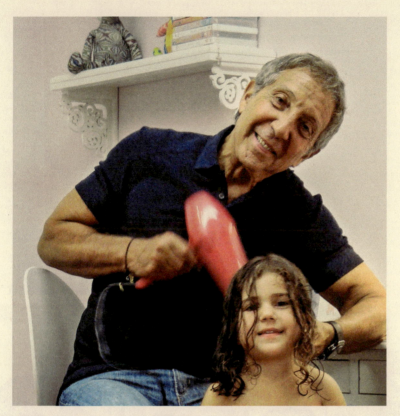

Secando o cabelo de Rafaela: só aos 77 anos ele passou a dar banho nos filhos menores, descobrindo "as grandes surpresas e os encantos da vida".

As mãos sobrepostas de Miguel, Rafaela, Geyze e Abilio, em 2015, com a pulseira da viagem de férias que os membros da família fazem todos os anos.

A filha Adriana, mãe de sete netos de Abilio, em férias com o pai no Caribe.

Com todos os filhos (em sentido horário), no Dia dos Pais de 2010: Pedro Paulo, Adriana, Rafaela, Miguel, João Paulo e Ana Maria.

Com a primogênita Ana Maria: ela é presidente do Conselho do Instituto Península e atua em organizações que trabalham em projetos que buscam soluções para a questão da educação no país.

Maio de 2016: Ana Maria na famosa prova de ciclismo Campagnolo Gran Fondo, em Nova York.

O caçula Miguel e João Paulo, o irmão mais velho, surfando: João é atleta de alto rendimento e um dos empresários que mais incentiva as ações de esportes no Brasil.

Abilio e Pedro Paulo, então corredor da Fórmula 1: o acidente do filho, em Nürburgring (1999), foi um dos momentos mais difíceis para Abilio, que assistia pela televisão.

Pedro Paulo tornou-se um empreendedor do negócio autossustentável em grande escala, na Fazenda da Toca: projeto inovador de viabilidade econômica, social e ambiental.

Com Georges Plassat, presidente do conselho e CEO do grupo Carrefour: em maio de 2016, Abilio, o terceiro maior acionista da rede, entrou para o Conselho de Administração do grupo francês.

Exercendo uma de suas atividades preferidas: ministrando o curso Liderança 360 graus, na Fundação Getulio Vargas de São Paulo, onde se formou.

Maio de 2016, com o presidente Maurício Macri: acertando investimentos de R$ 1 bilhão na Argentina (à esquerda, Pedro Faria, o CEO da BRF).

Junho de 2016, Abilio Diniz com o presidente da Namíbia, Hage Geingob: oportunidades de investimento da BRF no país africano.

Abilio faz treinamentos semanais de boxe com o instrutor Paulo Manzini, além de squash e outros exercícios físicos praticados diariamente.

Um dos maiores prazeres que Abilio cultiva na vida é o de esquiar...

... prazer que divide com Geyze e os filhos mais novos, na foto saindo cedinho para mais um dia de muita neve.

De barba, em noite beneficente ao lado de Geyze: homenagem ao centenário da arquiteta Lina Bo Bardi, no Masp, em junho de 2015.

Com a mulher Geyze, em Bonifácio, na Córsega: vivendo os anos mais "importantes e mais felizes da minha vida".

"No momento em que a maioria decide parar, escolhi continuar caminhando em busca de uma vida mais feliz."

Em julho de 2016, com a família inteira (incluindo a bisneta Valentina) reunida em um barco, no verão ensolarado da Croácia.

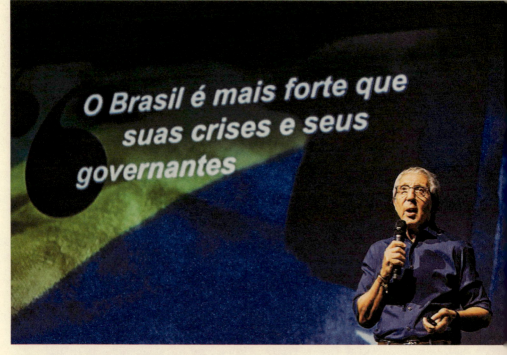
Sem perder a esperança: "Uma coisa que marca também o meu caminho é o compromisso com meu país. Amo o Brasil".

Eu? Sequestrado? Quem se arriscaria a me pegar? Sou forte, autossuficiente, nunca mais apanharia de ninguém etc. etc.

Acho que foi isso que respondi a ela. E dez anos depois, lá estava eu, sentado na poltrona de seu consultório, combalido e triste como um náufrago tentando enxergar o transatlântico que o havia acertado. Lembro-me bem do mal-estar generalizado que sentia então. Talvez a característica mais marcante de um depressivo seja a total falta de prazer por tudo. Meus esportes, que sempre foram alegria, eram praticados por obrigação em nome da saúde e do combate ao estresse. Não dormia, como já contei. Embora os exercícios da "lista dos medos" tivessem me feito ver que as preocupações se potencializam durante a noite, eu simplesmente acordava e não conseguia mais pregar o olho.

Eu precisava ser medicado. Passei a tomar um antidepressivo. De novo, repito: não estou aqui para fazer propaganda de medicamentos. Estou lhe contando algo que aconteceu comigo. Enfatizo que, em uma situação dessas, o medicamento, sob rigoroso controle, é de grande ajuda. Os que têm preconceito contra remédios para angústia e depressão convivem com um sofrimento intenso e desnecessário. Além disso, um dos riscos de permanecer deprimido por muito tempo é agregar à própria personalidade medos, fobias e um pessimismo permanente, tornando-os parte da nossa maneira de ser.

Permaneci firme nas sessões. Alguns meses depois, o céu começou a clarear. Mantive as visitas à doutora por doze anos. Eu a considero uma amiga e devo muito a ela. Durante esse período me dei conta, por exemplo, de que sou mortal e não um clone de Deus que tem controle sobre tudo. Exercícios de tolerância foram executados em seu consultório, a começar por uma briga que travamos em determinada altura sobre a necessidade de eu reduzir para uma as duas visitas semanais que lhe fazia. E que nos levou a dois anos e meio de afastamento.

Sei que uma parte daquele Abilio inflexível ainda existe e que pode se manifestar a qualquer instante. Afinal, aquele sou eu mesmo, só que agora estou em outro momento da vida, com ferramentas que a maturidade e o autoconhecimento me forneceram. Sei que, se eu morder a língua e sentir gosto de sangue, posso mais uma vez deixar explodir meu temperamento passional. Quando era adolescente, meus pais conseguiram me tirar da rua, mas nunca conseguiram tirar a rua de dentro de mim. Mas ter a consciência disso é o que interessa: existe sempre a possibilidade de você ter o controle sobre essas situações e evitá-las. Melhor ainda é sentir-se leve o suficiente para rir de si mesmo e admitir que não é preciso ser perfeito o tempo todo. Eis aí uma atitude sábia para se converter num sujeito, no mínimo, benquisto. A convivência com meus limites e minhas possibilidades me deu a capacidade de evitar situações desagradáveis, como algumas que vivi no meu período mais explosivo.

Aprendi também que a busca do autoconhecimento não tem linha de chegada. Ela é permanente. E, quanto mais praticada, mais frutos traz. Eu sou do tipo de pessoa que precisa estar sempre realizando alguma coisa. Não é fazendo alguma coisa. É, repito, realizando alguma coisa. Dedicar-me a me conhecer faz parte disso. Para realizar coisas a gente precisa ter sempre novos projetos, se propor objetivos criativos, encontrar meios para atingi-los, conquistar outras pessoas para colaborar com eles e ter determinação, vontade e foco para chegar lá.

Como vou empreender se não sei o que quero, se me disperso em dúvidas neuróticas e em conflitos inconscientes? Como vou focar no presente e no futuro se estou preso a fantasmas de outros tempos, já passados, mas não necessariamente ultrapassados?

Você pode pensar que depois de tantos anos eu já deveria ter acumulado autoconhecimento suficiente. Afinal, depois de tanto tempo de terapia, o que mais posso querer descobrir sobre mim mesmo? Pois é, essa é uma das coisas que aprendi: a cada novo momento de vida, novos conflitos aparecem e novas manifestações de experiências do começo da vida reaparecem. Quando estamos diante de novos e desconhecidos obstáculos, de dentro de nós brotam medos e angústias. Se não forem percebidos, tornados conscientes e elaborados, esses medos e angústias nos bloqueiam e ficamos acovardados, cheios de dúvidas e com pouca eficiência na ação. Como você vê, uso as terapias, em particular, e o autoconhecimento, em geral, como forma de aumentar minha capacidade de realização.

Mas isso não quer dizer que eu seja uma máquina, que só pense em trabalho e em conquistas profissionais. Pelo contrário. Uma pessoa que consegue ser eficiente em seus projetos tem mais tempo para realizar vários projetos ao mesmo tempo.

Minhas realizações não acontecem apenas na área profissional. Para mim, a vida familiar, meu casamento, meus filhos e meus amigos são muito importantes. São na verdade as coisas mais importantes. E é exatamente no âmbito das relações afetivas, familiares e de amizade que o autoconhecimento é mais necessário.

As relações profissionais são apoiadas em jogos de interesse, em estruturas organizacionais, em relações bem estabelecidas do ponto de vista funcional e legal. Tudo isso facilita muito, evita se perder e se confundir. Muito mais difícil é manter amizades de forma sadia, uma família feliz e um casamento vivo e interessante.

Dizem que o ser humano tem um cérebro tão grande e complexo porque precisa se relacionar com outros seres humanos. Não sei se isso é verdade. O que eu sei é que lidar com empresas é bem mais fácil do que lidar com pessoas. E, quanto mais íntimas elas são, mais difícil é.

As relações muito próximas, com grande importância afetiva, são nossos alicerces emocionais. Qualquer estremecimento nelas torna a vida da gente insegura e ruim. Pois bem, eu digo que não ter um conhecimento profundo de si mesmo é como construir um prédio sem cuidar bem dos alicerces. Partir para o mundo das disputas profissionais sem ter um lar em ordem é chegar com metade das forças.

Se você não está bem com as pessoas que ama e que o amam, você é uma sombra. Pode até ganhar batalhas e conquistar territórios, mas não vai aproveitar nada. Vai estar no pódio, ganhando os troféus, despertando inveja, mas vai se sentir triste e vazio. Essa é uma das coisas mais importantes que eu aprendi na vida. Não há felicidade sustentável se você não cuidar de sua vida íntima. Se você não estiver amando e sendo amado pelas pessoas que estão com você.

Preciso, porém, esclarecer que no meu caso minha família é muito grande, porque inclui as pessoas que trabalham comigo. Não é maneira de dizer, eu realmente sinto meus colaboradores como amigos e familiares. Você pode achar que isso é muito complicado e dificulta muito as coisas. Eu concordo, mas não evito as complicações, eu vou atrás do que acho bom e do que serve para mim. Eu gosto desse jeito. Gosto de me sentir em família. Acho que muitos dos que trabalham comigo sentem algo assim também.

Mas isso não traz só facilidades. Na verdade, a quantidade de problemas que uma família tão grande provoca não é brincadeira. As coisas se tornam ainda mais complicadas porque não gosto de fazer as coisas mais ou menos.

Eu preciso que as pessoas estejam felizes na nossa grande família. Não serve elas irem levando, estarem conformadas. Não, eu preciso que elas estejam se realizando, se desenvolvendo.

Todas as pessoas têm um lado preguiçoso e um lado trabalhador e realizador. Eu sou um péssimo companheiro para a preguiça e ótimo para a realização e o trabalho. Estou sempre propondo alguma coisa, buscando problemas para resolver e metas para atingir. Se eu não souber apoiar e conquistar as pessoas para isso, elas começam a sofrer, a ficar frustradas, e isso me abala.

O autoconhecimento é fundamental para a gente se colocar no lugar das pessoas, perceber coisas que elas estão disfarçando ou que muitas vezes nem estão percebendo. É necessário ajudá-las, para que elas confiem e se abram. Só assim elas se tornam íntimas e passam a formar a minha grande família.

Sim, porque a intimidade facilita o amor, mas também abre caminho para rivalidades, invejas e ódios. E, se esses sentimentos não forem tratados com paciência e sabedoria, as coisas desandam. Anos de convivência com terapeutas me ajudaram a entender melhor as dinâmicas das emoções e me deixaram mais perspicaz para lidar com as pessoas. Tento ajudá-las a refletir sobre suas realidades e a não agir por impulso e de maneira irracional. Prestei atenção em como os terapeutas agiam comigo e aprendi muito. Mas não fico analisando as pessoas nem comentando o comportamento delas. Acho isso muito chato.

Assim como é possível trabalhar sem ter supervisão, sem receber conselhos, sem ter auditorias externas e independentes, é possível viver sem terapias. Eu aprendi a trabalhar pedindo conselhos, procurando a crítica das pessoas, ouvindo outros pontos de vista e me assessorando com gente competente. Faço o mesmo em relação ao conhecimento pessoal.

Eu poderia simplesmente me olhar no espelho, ponderar e tirar minhas conclusões. Eu respeito, e muito, minhas intuições, minhas percepções e meus conhecimentos, mas aprendi a desconfiar também das coisas que sei. Sempre peço a meus terapeutas que me mostrem coisas que não sei sobre mim. Fico até um pouco impaciente quando eles "chovem no molhado".

Estou sempre disposto a ouvir o que as pessoas pensam e a tirar daí algo que seja bom, que ajude no meu autoconhecimento. A ideia de que podemos aprender e melhorar sempre e a cada momento é fundamental para se conhecer melhor.

Quero ser confrontado, não quero reforçar minhas certezas, quero ter dúvidas, quero ser questionado e aprender coisas novas. É impossível se manter vivo, vibrante, se a gente fica apegado ao já conhecido, ao já conquistado, ao já ultrapassado. Só que isso também dói. Cada vez que uma certeza é derrubada, que uma imagem de si mesmo, que já é de estimação, é demolida ou questionada, a gente sente muita frustração e briga com o amigo, o colega, o parente ou o analista. E pede provas, mesmo sabendo que já foi atingido pela mensagem. Acaba aceitando, e aí um novo mundo se abre.

É impressionante como ficar preso a falsos conceitos sobre nós amarra nossas vidas. Quando a gente, depois de protestar e espernear bastante, se liberta, passa a se sentir muito bem. Coisas que pareciam impossíveis passam a ser feitas naturalmente, sem nenhum esforço. Sofrimentos que pareciam eternos se desfazem, mágoas insuperáveis passam a nos fazer rir. Ficamos mais leves, e as pessoas em volta agradecem. Tudo fica mais leve e melhor.

15. Espiritualidade e Fé

Quando peço algo a Deus, antes pergunto a mim mesmo:
o meu pedido é justo?

Já passei a você a ideia do quanto é importante acreditar na sua própria capacidade de conseguir coisas grandiosas na vida. Já disse também que me considero uma pessoa normal, vinda de um berço humilde, do qual muito me orgulho.

Sempre digo que não tenho e nunca tive nada de extraordinário, tampouco fui o homem certo no momento certo no lugar certo e que, por conta disso, fez uma grande fortuna.

Mas possuo uma coisa especial, que considero a minha grande força: a fé que tenho em Deus.

Os acontecimentos incríveis dos últimos dez anos só foram possíveis porque Deus me ajudou. A maneira como conheci a Geyze, a decisão de me casar com ela, o nascimento da Rafaela e do Miguel, tornando a minha vida mais maravilhosa do que nunca, são, sem dúvida nenhuma, sinais de que o meu caminho foi iluminado por Deus.

No lado empresarial, o tsunami da disputa com os franceses do Casino e os ataques infundados contra mim resultaram na minha saída do Pão de Açúcar. Mas, quando parecia para muitos que a minha vida empresarial estava chegando ao fim, surgiu um mundo novo através da Península, da BRF e do Carrefour.

São três empresas que me enchem de alegrias e de propósitos, e essa história de sucesso só pode ser contada porque sempre consegui obter luz no meu caminho com as minhas orações. Cada dia que passa, mais e mais acredito em Deus e no poder dos homens de bem, dos homens que têm fé.

Uma fé que foi testada e reforçada em todos os episódios marcantes que já vivi. Um dos mais impactantes foi o acidente do meu filho caçula do primeiro casamento, Pedro Paulo. Aqueles foram os minutos mais longos da minha vida. Em frente à televisão, eu via seu carro capotando e se arrastando pelo autódromo de Nürburgring. Por mais difícil que fosse acreditar no que via, a imagem era absolutamente real. O carro de Pedro, que na época era piloto de Fórmula 1, foi tocado por trás. Bateu no carro que estava à frente e capotou de forma impressionante. Foi um daqueles acidentes horrorosos, que costumam ser reprisados pela televisão durante todo o final de semana. Para se ter uma ideia, o santo-antônio, uma peça reforçada que tem a função de proteger a cabeça do piloto em caso de capotagem, voou longe. Foi arrancado pelo impacto do golpe. O capacete que protegia a cabeça de Pedro riscava o asfalto em alta velocidade.

Não é difícil para você, leitor, imaginar meu desespero ao assistir à cena pela televisão. Eu, sentado (quer dizer, em pé, querendo pular dentro da televisão) em minha sala, vendo em câmera lenta, por vários ângulos, meu filho encarar a morte na Alemanha. Naquela situação de total impotência, a milhares de quilômetros de distância de qualquer possibilidade de interferir pessoalmente em favor de Pedro, agarrei-me à fé e implorei a Deus que o poupasse. Na verdade, diante daquela cena chocante, nem cheguei a pedir que Pedro não se machucasse — isso me parecia um milagre impossível —, mas que saísse vivo e sem ferimentos graves.

Quando a equipe médica conseguiu tirá-lo do carro e colocá-lo sobre a maca, percebi que Pedro estava consciente. Naquela hora, ele ergueu o polegar para mostrar que estava bem. Tive a certeza de que o gesto era dirigido a mim. Foi como se o próprio Deus me tivesse feito o sinal de positivo e dissesse: "Ok, Abilio, seu filho está seguro. Fizemos nosso trabalho daqui". O fato de Pedro sair ileso daquele acidente atestou minha convicção de que foi a mão de Deus, com a ajuda de minha amiga, santa Rita de Cássia, que evitou o pior. Eles agiram sobre o carro, amparando o impacto e o desviaram de um encontro fatal com o destino. Fiquei aliviado e grato.

Cito esse caso porque considero ter sido uma demonstração daquilo que sempre senti no momento íntimo em que faço minhas preces: a presença de Deus em minha vida. Preciso compartilhar com você o quanto tem sido importante e enriquecedor manter a fé acesa em todas as horas, sejam elas boas ou más.

A fé é o caminho que nos dá direito a uma nova chance, sempre. Que nos possibilita realizar o que quer que seja. Creia! Acredite em você e em Deus. Numa situação sem grandes expectativas, a fé direcionada para Deus — independentemente do nome pelo qual você O chame — é a única força capaz de alterar a ordem das coisas e de mover uma pessoa rumo a novas empreitadas. Essa capacidade interior de crer pode motivar você a desejar coisas melhores para si mesmo e para as pessoas que ama. Na fé, tudo cabe.

Sou um homem de crença religiosa inabalável. Não imagino minha vida sem Deus. Acredito nas pessoas, no amor e neste país. Mas só posso exercitar minha fé porque creio de maneira cega em Deus — e sei que Ele é responsável por tudo. Durante os inúmeros momentos em que estive em dificuldades, com o horizonte embaralhado, caminhos confusos a tomar, nunca me senti totalmente só ou desamparado. Sempre tive a certeza de estar partilhando as dificuldades com Deus. De estar sendo assistido por Ele e por santa Rita.

Sinto-me tomado de profunda gratidão e bem-estar quando, de manhã bem cedinho, após meus exercícios físicos, assisto à beleza do raiar do dia. Tenho certeza de que naquele momento de silêncio e comunhão com a natureza, Ele está presente. Você certamente vive momentos corriqueiros como este — admira uma chuva que limpa a cidade ou um fim de tarde com todos os tons de laranja iluminando o horizonte —, mas eles passam despercebidos e quase nunca damos o devido mérito a seu criador. Eu procuro jamais me esquecer da Sua presença em minha vida. Não sei se isso é causa ou consequência, mas julgo-me muito protegido espiritualmente.

Tem razão quem me considera um homem autoconfiante — sou mesmo. E credito boa parte dessa segurança à crença de que Deus é meu parceiro. Nos anos em que vivi as graves crises da minha vida, tive a certeza absoluta de Sua mão me abrindo caminhos. Na época pré-falimentar da empresa, a reconstrução do Pão de Açúcar mostrou-se muitas vezes um obstáculo intransponível. Mas, de repente, quando tudo parecia perdido, outra porta se abria e eu via uma luz de esperança. Assim foi até que tudo se normalizasse. Não tiro meus méritos, claro que não, mas sei que todo o esforço e o amor com que me atirei à tarefa de negociar empréstimos arriscados e empenhar até meu último centavo para colocar o grupo nos trilhos só existiriam porque acreditava que Deus estava de acordo comigo, como um bom e velho conselheiro com poderes especiais para me proteger.

A cada passo que eu dava, sentia a segurança de que havia ali a determinação Dele para que a obra fosse feita. Antes que qualquer um insinue que sou um privilegiado até nisso, afirmo que essa relação protecionista de Deus com quem quer que seja depende de nós mesmos. Ser protegido espiritualmente é uma condição que nós criamos pela maneira como pedimos as graças e as agradecemos. Na maneira, enfim, como sustentamos a nossa fé. Ouso dizer que, nesse aspecto, sou um fiel clássico: rezo muito, agradeço permanentemente e sigo alguns princípios na hora de pedir.

Sou um pedinte fervoroso. Você pode se perguntar o que eu, um cara bem-posto na vida, poderia pedir. Eu respondo: tenho dúvidas e medos como qualquer pessoa. Peço a Deus o que todo mundo pede: saúde e proteção para as pessoas que amo, porque isso é o mais importante na vida. Mas também peço luz nos meus momentos. E, como disse, sigo alguns princípios. Arriscaria dizer que ao menos duas regras devem ser respeitadas quando pleiteamos algo junto a Deus. A primeira delas consiste em questionar-se sinceramente, da maneira mais simples possível: "Será que meu pedido é justo?". A segunda regra é avaliar se você já fez tudo o que era possível ser feito para obter o que está pedindo. Aí, é o caso de também se perguntar: "Estou fazendo minha parte neste trato?".

Vamos a um exemplo. Digamos que você queira uma promoção no trabalho. Acho que o pedido é concreto, plausível, você pode pedir a Deus que o ajude. Mas pode pedir exatamente o quê? Que ele elimine seus concorrentes? Não. Pode pedir que o ajude a obter uma melhor performance para atingir seus objetivos. E aí vem a regra número dois.

Você deve perguntar a si próprio se, para ser promovido ou reconhecido em seu trabalho, você anda fazendo a lição de casa, se tem dado o melhor de si no que faz, se empenhado, se aprimorado. Quando essas duas perguntas são respondidas com honestidade, de forma positiva, e o pedido é feito com fé, temos êxito no que desejamos. Garanto a você.

Aí eu volto ao episódio de meu filho Pedro. Nas minhas orações, sempre pedi que ele fosse protegido e chegasse são e salvo ao final de cada prova, e nunca que ganhasse a corrida. Não considero esse pleito justo. Imagine só a trapalhada em que ficaria Deus se eu e mais 21 pais de pilotos pedíssemos que nossos filhos ganhassem a prova! Como é que Deus avaliaria quem deveria ser o contemplado daquele domingo? Teria de consultar os tempos de classificação, pesquisar se o carro de um estava melhor do que o do outro, enfim, esse é o tipo da trabalheira que Ele não tem de ter.

Não pretendo ensinar a ninguém a maneira certa de rezar. Apenas julgo necessário dar meu testemunho sobre a importância da espiritualidade na vida de uma pessoa que busca o equilíbrio consigo mesmo e com os que estão ao seu redor. A essência do que quero passar é que sou muito feliz porque acredito em Deus. Amo-O realmente. Você pode estar surpreso ao me ver falando tão abertamente de minha religiosidade. Pode me imaginar um carola. Bem, se ser carola é não ter vergonha da própria fé e, ao contrário, orgulhar-se dela; se é procurar seguir os ensinamentos de Deus; se é ir às missas semanais, não faltar às visitas mensais à igreja de santa Rita de Cássia todo dia 22, o dia dela, vá lá: sou um carola. Mas para mim não faz sentido falar de qualidade de vida deixando de lado a questão espiritual. Piegas? Pode ser. E daí? Existe gente que passa a vida renegando uma força superior ou se questionando sobre a existência de algo além do material e simplesmente deixa de conhecer esse poder interior que possui.

Eu também já tive meus momentos de questionamento, não nego. Na época em que cursei administração na FGV, nos anos 1950, vivi uma fase em que era usual, e até pegava bem politicamente, questionar a religiosidade e a própria existência de Deus. Fazia parte de um grupo que tinha ideias de esquerda, por mais inacreditável que isso pareça aos que conviveram comigo naquela época. Meus amigos, os irmãos Sylvio e Luiz Carlos Bresser-Pereira, faziam parte da turma. Devíamos ter algo em torno dos vinte anos. Conversávamos sobre as maravilhas das revoluções russa e chinesa, as ideias de Karl Marx, Mao Tsé-Tung, Trotski e Lênin, que combatiam a religião alegando ser o ópio do povo. Fidel Castro também estava no auge, e a Revolução Cubana beirava seu desfecho em 1959. Era uma época de materialismo exacerbado. Essas ideias me fizeram questionar não a fé, mas a Igreja. Minha fé eu nunca questionei. Tanto que, apesar desse afastamento, não aguentei muito tempo sem me dirigir a Deus e logo voltei para minhas orações.

Alguns dogmas da Igreja católica que coloquei na berlinda na época de certo modo até hoje me incomodam. O celibato do sacerdócio, por exemplo, é algo que me parece ultrapassado e sem sentido. O fato de os padres terem de renunciar ao sexo, ao desejo, ao caminho natural de partilhar a vida com uma companheira para mim é muito estranho. Vou além. Sou um sujeito que vai à missa todos os domingos, adora cantar os hinos litúrgicos e participar do culto. Mas dificilmente me comovo com o sermão durante a missa. Em geral, os padres ainda não descobriram a maneira de falar diretamente ao coração das pessoas em uma linguagem clara e envolvente. Em outras religiões, percebo que a comunicação se dá com mais facilidade. Conheço vários padres e gosto de muitos. Mas não diria que qualquer um deles tenha me impressionado como eu gostaria nas questões de sermões eloquentes e originais. E tudo isso pesou um pouco quando eu tinha vinte anos e me sentia atraído pelas ideias da esquerda materialista.

Hoje em dia, para ser o católico praticante que sou, não me atenho mais a alguns pontos incômodos da religião. Creio em Deus, nos santos, e sigo rezando com minhas regras de conduta e fé. Nada se mostrou mais poderoso em meus dias de tempestade — e nos dias de bonança — do que a força espiritual que sustento. Minha fé é uma alavanca empreendedora, com o poder de vitalizar, construir, resolver problemas, unir, solucionar e, sobretudo, me colocar no devido lugar perante Ele. Rezo muitas vezes ao dia. No trânsito, na academia, dentro do carro, sempre que estou só com meus pensamentos, inevitavelmente desvio algumas orações ou simplesmente converso com santa Rita e com Deus sobre coisas do dia a dia. Tenho certeza de que sou ouvido. Com santa Rita chego a ter mesmo uma relação de amizade sincera e camarada, como se ela fosse alguém de carne e osso para quem dou um telefonema. Com Deus não é diferente, embora nossa relação seja um pouco menos informal.

Não quero usar metáforas aqui. Quando digo que falo com Deus é porque falo mesmo. Em voz baixa, mas falo. Rezo ouvindo o som de minha voz se dirigindo a Ele. Verbalizar parece que concretiza e reafirma o pensamento para o mundo. Vejo-O como um amigo olhando para mim, um homem de barba e cabelos compridos. Sei que é uma imagem infantil, talvez registrada em algum livro religioso que vi ainda menino, mas essa figura me reconforta. Vou mais fundo: quando faço minhas orações em casa, ajoelhado em um genuflexório que tenho no quarto, olho para o alto como se dessa maneira pudesse trazê-lo para mais perto.

Essa sensação de profunda ligação com Deus começou quando eu era menino. Minha mãe sempre foi religiosa e me introduziu no catolicismo, me levando à missa e me ensinando a rezar. Mas me lembro, quando tinha por volta dos sete anos, de ir à missa sem que ninguém me obrigasse. Ia sozinho. Minha mãe, a essa altura, tinha meus irmãos menores para cuidar. Eu saía da rua Tutoia, onde morávamos, e subia a avenida Brigadeiro Luís Antônio a pé até a igreja da Imaculada Conceição. Na volta, passava numa banca de jornal, na esquina da avenida Paulista, e retornava para casa lendo revistinhas de super-heróis.

Eu ia à missa basicamente porque me sentia bem e não queria que Deus ficasse chateado comigo. Ele, afinal, era meu amigo. Imagine se ia querer que Ele me achasse negligente com nossa amizade? O engraçado é que hoje não sou muito diferente daquele garoto lá de trás. Não falto aos meus compromissos religiosos por nada. Nessa relação de fé sou metódico e disciplinado como com o resto de meus afazeres. Levanto muito cedo e começo a manhã dando um bom-dia a Deus. Depois, leio uma passagem do livro dos Salmos. Tinha o costume de lê-los diretamente da Bíblia — não com muita frequência. Confesso que sentia alguma dificuldade na leitura, principalmente na interpretação dos textos. Geyze me apresentou o livro *Salmos: Espelhos da alma*, de Nívea Mallia Cittadino. São trechos dos salmos bíblicos numa linguagem atualizada e com comentários que levam à reflexão. Fiquei encantado. A leitura é simples, a interpretação, fácil, e os comentários, excelentes. Normalmente me atenho aos Salmos 23 e 91, que são os que mais me trazem tranquilidade e proteção.

Aliás, quando falo de espiritualidade e fé, é muito importante ressaltar o papel da Geyze comigo e com meus filhos pequenos. Ela tem potencializado de forma extraordinária tudo aquilo que fazemos em torno da fé e da espiritualidade.

Adotei os Salmos como um livro de filosofia diária, que me dá rápidas lições de vida em qualquer página que eu o abra. Recomendo esse hábito a todos. Para mim, aqueles pequenos parágrafos têm efeito pontual, como se seu autor os tivesse escrito à noite, sabendo quais seriam minhas preocupações no dia seguinte. Em seguida, faço uma oração, que é parte de um programa espiritual. O programa propõe que se leia a cada dia, durante 63 dias, uma frase e algumas orações que nos aproximam de um ideal de paz interior e conexão com Deus. Há um poder revolucionário nessas palavras. Comecei a fazer o programa no dia 1º de janeiro de 2000 e nunca mais parei. Sempre termino em um sábado e recomeço no domingo. Adotei-o como guia espiritual permanente, que revigora meus princípios de fé a cada dia.

Ao fazer meus esportes, prossigo em minhas orações, ou seja, rezo enquanto corro ou pratico qualquer outro exercício. Agradeço tudo o que recebi e peço proteção para as pessoas que amo. Esse momento de introspecção funciona como o que muita gente chama de meditação. É meu momento comigo mesmo e com Deus. Só assim consigo começar o dia bem e reforçar meus princípios interiores.

Asseguro que para mim, que também tenho meus momentos de angústia, inquietação e preocupação, é uma felicidade crer em algo superior. É tranquilizador. Quando você conclui existir uma força maior, a sua vida ganha uma nova dinâmica, você não está mais lutando no mundo por sua conta. A coisa fica mais leve. Só que, para se sentir bem assim, não vale crer da boca pra fora: é preciso crer de fato, com fervor. E aqui vale contar uma história dramática que se passou comigo e que me deu uma amostra do quão desesperador me pareceu não ter fé, justamente em um momento em que qualquer ateu correria para os braços de Deus.

Vivenciei uma única ocasião em que não consegui ter fé. Quer dizer, sofri sua ausência para em seguida ter, diante dos meus olhos, a prova de que Deus existe e estava comigo o tempo inteiro. Aconteceu durante o sequestro. Enfiado naquele cubículo debaixo da terra, tive a certeza de que ia morrer. Eu não conseguia nem sequer pensar em Deus. Ironicamente, um homem de fé consolidada como eu não conseguia Lhe dirigir a palavra. Aquela situação irreal tinha me tornado incapaz de rezar.

Não tinha cabeça, concentração, palavras, nada. Meu cérebro só tentava retomar o controle da situação. E, em determinada altura, com a falta de ar e de perspectivas, eu pensava mais em como morreria do que em como conseguiria escapar. Em um momento acreditava que perderia a vida lutando com um dos bandidos — provavelmente o sujeito que fosse me levar comida. Depois, imaginava que devia me resignar, parar de comer e me deixar morrer de inanição. Era uma situação tão absurda, tão fora dos meus parâmetros normais, que não havia lugar para Deus ali dentro. E o fato de eu não conseguir me dirigir a Ele só piorava a situação: sentia-me cada vez mais só, vulnerável e entregue aos meus sequestradores.

Depois de algum tempo, reagi e voltei a fazer uma ponte com Deus. Fiz ali um único pedido: "Meu Deus, não me deixe perder a fé". Como de hábito, não só pensei como falei em voz alta. Eu sabia que, se perdesse a fé, eu já era. O curioso é que não pedi algo como "Me ajude a sair daqui". Eu fiz um pedido mais amplo: pedi forças e luz para me manter como sempre fui. Uma vez atendido aquele pedido, todos os problemas seriam resolvidos. Eu só precisava voltar a ter fé: em Deus e na Sua força protetora. E, realmente, depois disso comecei a acreditar em saídas e não em resignação. Deus, do lado dele, e, imagino, com a mão de minha amiga santa Rita de Cássia, já havia mexido os pauzinhos para me tirar daquele sufoco. E ambos foram ardilosos! A maneira como isso aconteceu foi, para mim, mais uma das provas absolutas da existência de Deus.

Como já contei, o carro disfarçado de ambulância dos sequestradores sofrera uma pane elétrica dias antes de a ação ser posta em prática. Os bandidos o levaram ao mecânico, que colocou um cartãozinho de visitas da oficina no console. Os sequestradores não o viram, porque o cartão foi engolido por uma das frestas do sistema de ventilação — se o tivessem visto, certamente teriam apagado esse vestígio, como fizeram cuidadosamente com cada detalhe da operação. E acho que aí, no empurrãozinho que o papel sofreu para cair na fresta e ficar escondido atrás do painel do carro, esperando a polícia encontrá-lo, é que a mão divina esteve presente. Quando os policiais desmontaram a ambulância abandonada, encontraram o tal cartão e foram atrás do mecânico. Começaram, ali, a seguir as pistas que os levariam ao meu cativeiro. Fui salvo.

Como posso duvidar dessa conexão profunda com Deus?

Muita gente pode questionar que um homem de negócios, racional, contido nos sentimentos como sempre deixei transparecer, admita o que vou admitir agora: consulto Deus até na hora de conduzir uma negociação empresarial. Peço que ilumine minhas decisões, que me ajude a escolher o caminho certo a seguir. Não peço coisas materiais. Nunca! Considero impensáveis pedidos como: "Quero que minha empresa dobre de tamanho". Se acontece algo diferente do que imaginava, concluo que foi melhor assim. Sei, então, que outras portas se abrirão para que eu tome um rumo mais proveitoso.

Em retribuição, procuro fazer as coisas que Ele gostaria que eu fizesse. Não só em relação àqueles que fazem parte do que chamo de meu mundinho, mas ajudando também outras pessoas.

Um reflexo disso é a forte preocupação social das empresas onde atuo e atuei. Temos programas para ajudar não só aqueles que trabalham conosco, mas também pessoas carentes das comunidades em que estamos. O Instituto

Península, que criamos em 2010 com objetivo de canalizar em uma única frente o investimento social da nossa família, foca principalmente na educação e no esporte, duas áreas capazes de efetivamente transformar a vida das pessoas.

Tenho consciência de que, graças a tudo o que essa Força Divina fez por mim, posso servir de exemplo. Então hoje, mais do que nunca, preocupo-me com minhas atitudes. Procuro passar coisas boas na minha maneira de ser. E procuro também, sempre, ajudar esse país que tanto amo e que tanto me deu, passando meu conhecimento acumulado em tantas décadas às novas gerações e promovendo o empreendedorismo capaz de gerar empregos e renda à população.

Da mesma forma que peço coisas a Deus, tento fazer o bem sem esperar nada em troca. Aliás, se eu puder dar um conselho, direi: "Faça o bem sem esperar recompensa, nem mesmo um agradecimento. Faça porque acredita que é muito bom fazer o bem". Esse é um dos caminhos mais assertivos na busca da paz interior. Na verdade, creio na força revolucionária que os atos de bem operam nas pessoas, tornando-as mais solidárias, mais condescendentes e mais compreensivas. Quando você descobre que a grandeza está na bondade e não nos atos de força bruta, quando percebe o quanto é mais gratificante ser uma pessoa do bem, você já encontrou o caminho para uma vida mais serena.

Talvez este livro tenha surgido dessa consciência. Ou melhor: de vários níveis de consciência. Hoje, acredito firmemente que o sofrimento acelera o crescimento das pessoas e as torna mais preparadas para o sucesso. Eu passei maus bocados. Mas não sucumbi. Por isso lhe digo: não há nada impossível de ser feito. Tanto pessoal como profissionalmente. Melhorar é obrigação de todo ser humano, é o que penso.

Isso vale para tudo o que se é e o que se busca na vida. Este livro é isso — algo que não existia, mas que em determinado momento foi concretizado. Minha forma física e minha saúde são resultados desse pensamento. Querer conhecer meus defeitos para domá-los e aprimorar os pontos positivos de meu modo de ser também pode ser saldo dessa filosofia. Após anos de trabalho duro naquele Abilio fechado, tenso, certinho e chato que fui um dia, encontrei um caminho para me sentir mais feliz com o mundo — e comigo mesmo. Houve momentos no passado em que me sentia desconfortável sendo quem eu era. Eu, definitivamente, não fazia meu tipo. Hoje gosto de ser quem eu sou. E isso é muito bom.

Acreditei que era o dono da verdade — veja só que tolice! Em função disso, nem sempre fui um cara cordato: fui antipático com muita gente, por impaciência ou arrogância. É claro que me arrependo. Preferia não ter magoado ninguém, tampouco ter remoído algumas atitudes minhas comigo mesmo. Mas não posso apagar o passado, posso aprender com ele. E estou determinado a isso. Manter a têmpera sob controle — mesmo que às vezes isso pareça impossível para quem tem gênio forte como eu —, ser gentil e interessado são atitudes que vão ao encontro dos mandamentos de Deus e tornam a vida mais leve. Por que não adotar essas coisas aparentemente simples, então?

Amar ao próximo como a ti mesmo é talvez a ideia mais difícil de ser seguida, mas também é, sem dúvida, a que mais benefícios nos traz no dia a dia. Se, após todas as coisas que você leu sobre mim, defeitos e qualidades, eu puder deixar uma mensagem sucinta de fé neste livro, eu o faria tomando emprestado o Salmo 23 e o Salmo 91. Eles falam da relação de confiança com Deus e do otimismo que essa relação pode adicionar em nossas vidas. Para mim, é isso que vale. Quando lemos esses salmos, emocionantes e poéticos, sabemos que as forças do universo podem conspirar a nosso favor, e que tudo é possível àquele que crê.

O Salmo 23 nos diz o seguinte:

O Senhor é meu pastor, nada me faltará
Faz-me repousar em verdes pastagens
E me conduz por fontes tranquilas,
Restaurando minhas forças
Conduz-me por caminhos seguros
E seu bastão e seu cajado me guiam.
Mesmo que eu ande por um vale de sombras,
Nada temerei,
Pois o Senhor está comigo.
Felicidade e amor me acompanham
Todos os dias da minha vida.
Eternamente habitarei na morada do Senhor.

E o Salmo 91:

Você que vive no amparo do Altíssimo
E à sombra de Deus onipotente,
Confie Nele!
Ele o livrará do laço do caçador,
Da peste destruidora.
Ele o cobrirá com suas penas
E o refugiará debaixo de suas asas.
O braço de Deus é um escudo e armadura.
Com Ele você não temerá a noite,
Nem a flecha que voa de dia,
Nem as epidemias.
Ainda que dez mil caiam à sua direita
E mil ao seu lado, nada o atingirá.
A desgraça jamais o atingirá
E praga nenhuma chegará à sua casa,
Pois Deus ordenou que os anjos guardem o seu caminho.
Você será levado pela mão,
E seus pés não tropeçarão em nenhuma pedra.
Ainda que caminhe entre cobras e dragões,
Estará livre, protegido, pois conhece a Deus.
Será saciado ao longo de seus dias
E verá a salvação.

Espero que você encontre nessas palavras, que leio e releio sem me cansar, o mesmo conforto e a mesma segurança que me garantem força nos momentos bons e ruins da vida. Para mim funciona como um centralizador de forças que reafirma a presença de Deus em mim. Encerro este capítulo correndo mais uma vez o risco de que alguém veja nessas palavras algo previsível. Não sei. Sou um homem que privilegia mais a eficiência do que a aparência. E posso garantir: com fé, você pode tudo.

16. Amor

O amor, como tudo na vida,
é um aprendizado.

Já ficou claro que este é um livro sobre mudanças, sobre grandes transformações que aconteceram comigo. Ele mostra como é importante mudar, desde que seja para melhor, e como é possível evoluir mesmo nas nossas qualidades mais evidentes. Sempre tive noção de que um dos meus pontos fortes é a capacidade de agir sob a motivação dos sentimentos. Ao longo de minha vida sempre fui uma pessoa emotiva. Mas nem sempre direcionei bem as minhas emoções. Amor e ódio eram, para mim, forças paralelas, igualmente intensas, capazes de envolver-me na mesma medida. Em suma, confesso aqui: eu era capaz de amar profundamente, mas também de odiar com a mesma intensidade.

O amor, claro, não ganhou espaço na minha vida apenas nessa fase mais recente. Eu sempre soube identificar sua presença e vivê-lo como devia. As primeiras pessoas que amei foram meus pais. Amei-os de um jeito tão eloquente que não tenho outra lembrança mais forte do que essa dos meus primeiros anos. Praticamente tudo o que eu fazia tinha o objetivo de agradá-los e de merecer sua aprovação. Procurava satisfazer suas expectativas para que eles me amassem com a mesma força. Lembro-me perfeitamente de que, em nossa casa na rua Tutoia, não conseguia pegar no sono enquanto não ouvisse o barulho da chave na porta e de meu pai entrando pela casa depois de um dia de trabalho na padaria.

Meu pai foi meu primeiro herói e minha mãe uma presença querida e intensa. No princípio eles eram meus amores exclusivos. Mais tarde, me vi dedicando aos meus filhos um amor tão grande quanto aquele que sentia por eles. Durante muitos anos, não conseguia me deitar antes de passar na cama de cada um e me despedir com um beijo de boa-noite. E, toda manhã, os despertava da mesma forma. Ia de quarto em quarto para chamá-los com carinho. Também soube construir relacionamentos positivos. Amei intensamente as mulheres de minha vida e, cada uma ao seu tempo, elas tiveram certeza disso.

Auri foi o amor da minha adolescência, que me acompanhou durante muito tempo. Fomos casados durante 26 anos e tivemos quatro filhos. A natureza desse sentimento acabou se transformando. Essa, aliás, é uma das características do amor: ele se transforma à medida que nós mudamos. Isso, muitas vezes, pode gerar separações. Foi o que aconteceu conosco. Mais tarde, conheci Rosana. Vivemos momentos de grande felicidade, mas esse amor também se transformou.

Algum tempo depois de eu e Rosana nos afastarmos, a Geyze entrou em minha vida. Tenho por ela um amor sereno e profundo. Sem sobressaltos e sem inquietações. Um amor que parece ter atingido sua plenitude e se sustenta no companheirismo e nos hábitos que compartilhamos. Nesse relacionamento, acredito, ficou mais evidente o significado da palavra cumplicidade.

Posso dizer hoje que a força do amor pelas minhas pessoas queridas atingiu seu ápice com o meu casamento com Geyze, o nascimento da Rafaela e do Miguel e a integração plena com meus quatro filhos adultos. Como é mágico ter nesse mundo a filha mais velha e o filho mais novo com uma diferença de 49 anos entre eles. Minha família, composta por Geyze, Ana Maria, João Paulo, Adriana, Pedro Paulo, Rafaela e Miguel, é fruto do amor e torna o meu mundo maravilhoso.

Quero, portanto, dizer que o amor me proporcionou e proporciona situações de extrema alegria. Mas nem sempre foi o soberano das minhas decisões. Ou melhor, eu não tinha a noção de sua importância no tempo em que me deixava conduzir também pelo ódio. A percepção exata da distância que os separa e do lugar que cada um desses sentimentos deve ocupar em nossas vidas foi decisiva para as minhas transformações. Em meio à minha crise familiar e financeira, acompanhada do sequestro, senti muito ódio — não apenas de pessoas, mas também de fatos e circunstâncias. Um ódio que me tirava o sono. Em pouco tempo, aquela sensação pesada e negativa estava por toda parte, em todas as minhas relações. Foi quando percebi que esse sentimento funciona como uma praga — ele se espalha no ambiente e contamina tudo. É um sentimento tão ruim que cobra pedágio até de quem o sente, porque em pouco tempo destrói o melhor de nós mesmos, de nossa saúde, de nossa força de trabalho, de nossa vida em família, e termina por nos acrescentar rugas e cabelos brancos.

Tanto o amor quanto o ódio têm a capacidade de nos mover, mas cada um nos conduz a um destino diferente. Aqui, quero ampliar o sentido da palavra amor para algo que extrapola as relações entre pais, filhos, companheira ou companheiro. Falo no sentido de força universal, que deve prevalecer em nossas ações e na maneira de levarmos a vida. Esse sentimento, enfim, contagia e impregna, ampliando o bem em ondas que terminam voltando para nós. No entanto, raramente nos damos conta disso. Amor e ódio. Um é fundamental na hora de nos ajudar a construir os alicerces sólidos e as paredes protetoras de nosso caráter, conduta e relações; o outro serve apenas para colocar tudo isso abaixo. Um é edificante; o outro, demolidor. Depois que me dei conta da importância de amar, e não odiar, percebi o quanto essa descoberta poderia melhorar a minha existência.

O amor canaliza nossa energia. Sua presença em nossas vidas pressupõe troca, cumplicidade e doação. A condição de amar e de sermos amados nos faz amadurecer e olhar mais atentamente para tudo: não só para as pessoas queridas, mas para todos os que conhecemos. Quando esse sentimento está por perto, a qualidade de vida melhora de forma natural, nossa capacidade de respeitar os outros aumenta, nossa autoestima se fortalece... Enfim, nossa vida ganha nova dimensão. Ele é, na verdade, a grande alavanca propulsora que Deus pôs à disposição do ser humano. O amor é revolucionário e é capaz de mover montanhas.

Quando pensamos nessa força poderosa, a primeira imagem que nos vem à cabeça é a da emoção especial que liga um homem e uma mulher. Assim como o que sentimos pelos filhos, essa é com certeza a forma mais profunda de expressão desse sentimento. E, quando conseguimos experimentá-lo em sua plenitude, nos colocamos muito próximos do principal objetivo de nossas vidas: a conquista da felicidade.

Mas levei algum tempo para perceber as sutilezas do amor e sua abrangência. Na verdade, ele pode se apresentar nas mais diferentes embalagens — e todas, embora substancialmente com o mesmo conteúdo, têm aplicações diversas no dia a dia. Refiro-me também àquele amor singelo que pode vir embalado como otimismo ou entusiasmo pela vida. Algo que pode ser notado na maneira como nos empolgamos com o que fazemos; na facilidade com que rimos e no modo como nos dispomos a encontrar mais pontos positivos do que negativos no nosso cotidiano.

O que quero dizer é que o amor deve ser dedicado com a mesma intensidade para nossas realizações corriqueiras e profissionais, nas pequenas tarefas e nas grandes realizações. Digo com orgulho que amo o que faço. Amo minha empresa e tudo o que construí. Principalmente porque fiz tudo o que fiz dando o melhor de mim, imaginando o quanto isso poderia beneficiar a sociedade, as pessoas e o meu país. Enriquecer foi uma consequência desse empenho, mas o objetivo final de se dedicar com amor a uma tarefa não é o dinheiro.

Há trabalhos e profissões que não enriquecem ninguém, mas realizam seus autores e seus participantes, espalhando seus benefícios para quem os experimenta. É disso que falo aqui. É natural que um compositor sinta amor pelas músicas que criou — e, com isso, agrade pessoas que entendam esse sentimento. É natural que um cientista sinta amor pelas pesquisas que desenvolve. É natural, da mesma forma, que um empresário sinta amor pela empresa que construiu. É assim que deve ser. Se você é médico, motorista, advogado, cabeleireiro ou jogador de futebol, deve doar seu amor ao que faz. Afinal, o que você faz, e como faz, é um retrato do que você é.

O Pão de Açúcar foi construído sob a inspiração desse sentimento poderoso. Reconstruí-lo, então, nos anos 1990, exigiria de mim duas vezes a cota de amor que dediquei à sua criação. Tudo conspirava para que eu sentisse ódio. E não vou dizer que não senti, mas me centrei no que queria mais que tudo — salvar o que havia criado. O ambiente ao meu redor era hostil. Muitos torciam pelo nosso fracasso de uma maneira até certo ponto ostensiva — e isso ficava claro no tom das notícias dos jornais, na atitude de alguns de nossos credores e até na reação das pessoas diante da minha presença. Naqueles dias, bastava eu entrar num restaurante para me tornar alvo de olhares especulativos. Descontada toda a passionalidade com que, ainda hoje, conto isso a você, tudo parecia ser um complô contra nós. Nunca senti tanta solidão em minha vida — era como se eu tivesse retornado ao cativeiro. Poucas pessoas me ajudaram naquela hora. Luiz Carlos Bresser-Pereira foi o primeiro a me apoiar. A presença de meus filhos, Ana Maria e João Paulo, ao meu lado foi fundamental.

Com muito custo superei todas as crises financeiras e coloquei a empresa longe do vermelho. Boa parte do êxito se deu graças à proteção de Deus. A outra parte, que credito ao meu empenho pessoal, só se manifestou com toda sua energia movida pelo amor. A reconstrução do Pão de Açúcar, claro, envolveu na época horas e horas de trabalho de toda a equipe, centenas de reuniões, frio na barriga, noites e noites mal dormidas. Mas empreguei nessa tarefa todos os recursos pessoais e materiais que havia guardado ao longo de minha vida. Se o Pão de Açúcar não tivesse resistido às pressões, eu teria me tornado um caso raro de empresário brasileiro que quebraria junto com a empresa. No auge dos problemas, cheguei mesmo a ter dificuldades na hora de levantar dinheiro para pagar as parcelas mensais de um apartamento que eu havia comprado. Na minha opinião, apenas o amor justifica essa crença e esse ato quase cego que me moveu por um ano.

Depois que conseguimos superar a crise, me dei conta, ainda numa segunda fase, de que era preciso mudar o meu papel na companhia. As dificuldades maiores haviam ficado para trás e a organização tinha condições de continuar sem mim. Temia que os problemas de relacionamento com meus irmãos voltassem e a colocassem novamente numa situação de dificuldade. Decidi me afastar, mesmo com sofrimento. Não foi fácil. Mas, mais uma vez, o amor prevaleceu: se eu tivesse de deixá-la para que ela sobrevivesse, estava disposto a fazê-lo. Cheguei até mesmo a marcar a data do meu afastamento e a alugar a casa onde instalaria meu escritório particular. No meio do processo, o cenário mudou. Meus irmãos preferiram inverter a situação. Resolveram vender sua parte e sair, enquanto eu permaneceria, assumindo a responsabilidade pela reconstrução da empresa. Ao assumir o controle da companhia me senti realizado. Porque o único que realmente a amava era eu.

Ponho sempre muito amor nas coisas que faço, e sem ele não teria conseguido tantas coisas boas nesses últimos dez anos. O amor foi fundamental também para a superação da disputa com o Casino, para a entrada no Carrefour e para minha ida à BRF. Aliás, como já disse anteriormente, lá nós implantamos o seguinte lema para todo mundo usar: Amor de dono. O propósito da Península é muito claro: que ela seja uma companhia do bem e que traga segurança, tranquilidade e prosperidade para a minha família e todas as pessoas que trabalham lá. E isso só se consegue com amor.

Todos nós temos a capacidade de amar. Nascemos com muito amor para dar e receber. Com o passar dos anos, com as relações intrincadas do dia a dia e o surgimento de inseguranças e autodefesas, tendemos a inibir tal manifestação. Apesar de nascermos aptos a amar, temos de nos exercitar para isso.

Depois de sentir na pele todos os reveses causados pelo ódio, notei que o amor, como tudo na vida, é um aprendizado. Lembre-se de que muitas outras forças podem inibi-lo. A inveja, a pressa, o medo, a angústia, o ódio, enfim... O amor deve ser regado, treinado, observado para que sobreviva permanentemente em tudo o que fazemos — e não só diante de nossos objetos naturais de afeição. É muito mais uma atitude do que um sentimento, e sua existência depende em primeiro lugar de uma decisão nossa.

Qualquer um de nós pode simplesmente cumprir suas obrigações, sejam elas de natureza pessoal, social ou profissional, sem investir nisso um único grama de sentimento. Isso é perfeitamente possível. Ou seja, podemos trabalhar, praticar esportes, ouvir música e ler um livro sem mobilizar as nossas emoções. Afinal de contas, muitas dessas ações dependem de talento, de habilidade, de cultura e de uma série de fatores condicionados muito mais por nossos conhecimentos do que pelos sentimentos. A diferença é que, na presença do amor, todas as coisas que fazemos se transformam numa fonte de prazer puro e genuíno e, daí para a autorrealização, é um passo curto.

Quando olhamos para o todo, e não para as partes, percebemos que o amor é quase uma consequência natural de uma vida de qualidade. Pense comigo: primeiro, cuidamos da saúde do nosso corpo por meio da atividade física regular e da boa alimentação. Depois, procuramos nos livrar do estresse na medida do possível e olhamos para dentro de nós mesmos na tentativa de nos conhecer com mais profundidade. Assim, melhoramos nossa cabeça. Em seguida, nos vemos diante de uma questão óbvia: para que serve tudo isso? Imagine alguém que acorda todas as manhãs, faz ginástica, toma café, vai para o trabalho e cultiva o hábito de conviver com sentimentos negativos como o ódio, a inveja e o rancor. De nada adianta buscar o bem-estar físico e mental se isso não contribuir para nossa felicidade.

Só quem gosta de si mesmo é capaz de viver o amor em sua plenitude. Quem se despreza, tem inseguranças e frustrações, prepara o terreno para semear o ódio — porque inveja outras pessoas e menospreza o que não é capaz de sentir. Se você está bem consigo mesmo, então está pronto para manifestar esse sentimento — e todas as suas nuances de alegria, otimismo, cumplicidade, entusiasmo, espírito de equipe — de forma natural e espontânea. Quando isso acontece, as pessoas à nossa volta se sentem à vontade para agir da mesma maneira. É assim que se dá a onda de que falei há pouco. Se você trata bem as pessoas, sublinhando o que elas têm de bom, elas vão fazer o mesmo. Desse modo, quando nos amamos e cuidamos de nossa autoestima sem permitir que ela se degenere em narcisismo, ficamos mais preparados para compartilhar nossa felicidade com outra pessoa. É um sentimento que não só nos faz crescer, como também nos ensina a valorizar cada vez mais o que temos ao nosso redor. Sejam as pessoas, seja o trabalho, seja nossa casa ou nossa rotina. Quando nossas competências são estimuladas pelo amor, somos capazes de realizar qualquer coisa muito mais facilmente.

A lição que gostaria de deixar desse meu testemunho é básica. As chances de sucesso rumo à felicidade se multiplicam no momento em que você coloca amor naquilo que faz. Nas tarefas mais corriqueiras do dia a dia, que são as que ocupam o maior tempo de nossas vidas, às mais intrincadas do seu trabalho e de suas relações pessoais. Na maneira como se relaciona com seus amigos, colegas, todas as pessoas. Se sentem que você está dando o melhor de si, elas farão de tudo para aderir à mesma causa. Se somos movidos por um motivo nobre, e não por um sentimento mesquinho qualquer, se mostramos todo o nosso entusiasmo, nossa preocupação para que tudo dê certo, todos ficam contagiados. Toda a engrenagem ao nosso redor gira com mais facilidade e, consequentemente, somos recompensados. Isso ajuda, inclusive, na hora de solucionar problemas. Sobretudo quando nos vemos diante de missões quase impossíveis.

Como já disse, amo meu trabalho, meus esportes, as pessoas que estão ao meu lado. Amo minhas rotinas. Sou um cara que luta para construir a felicidade, e o amor é um dos alicerces que procuro fortalecer para que isso aconteça. Aprendi que, sem ele, tudo o que fazemos corre o risco de se transformar em tarefas repetitivas e enfadonhas — e é muito chato viver assim.

Guardei este capítulo para lhe dizer uma coisa muito simples e fácil de ser cumprida: procure fazer o que gosta e ame o que você faz. O amor, quando exercitado diariamente, aumenta sua potencialidade, passando a ocupar todos os nossos momentos. E o ódio — o ódio que um dia você sentiu e que parecia fazer parte de sua natureza humana — perde sua função para sempre. Ele não existe mais.

Tenha ambições, mas ame o que você já tem. Pense no futuro, mas ame o dia de hoje. Desta forma, você vai ser mais feliz.

Epílogo
Discurso de despedida do Grupo Pão de Açúcar

Com as notícias todas que saíram nos jornais, vocês sabem o que eu vim fazer aqui. Eu vim me despedir de vocês. E vocês, que me acompanham há tanto tempo, sabem também que tem algumas coisas que eu detesto na vida. São três coisas principais: cebola, despertador e despedida. Então vou ser breve. Mas eu não podia deixar de vir aqui uma última vez, estar com vocês. Eu não podia fazer — sem nenhuma alusão a nossos "amigos" franceses — uma saída à francesa. Sem me despedir, sem nada, sem estar com vocês pelo menos alguns minutos.

Eu tentei nesse final de semana me preparar para falar com vocês e pensar o que eu iria dizer. E, francamente, não consegui. Não consegui organizar o que eu falaria. Aí combinei comigo mesmo: "Abilio, vai lá e deixa o teu coração falar. Procura não chorar, procura não se emocionar demais". Como diria o meu pai, "Fala só coisas agradáveis, só coisas boas. E tenta passar uma mensagem para a sua gente, para as suas pessoas, que estiveram com você por tanto tempo, por tantos e tantos anos".

Eu queria dizer para vocês algumas coisas. Quero só levar saudades e coisas boas daqui. Quero conservar uma imagem desse auditório, dos momentos gloriosos que nós tivemos, quando crescíamos, quando fazíamos expansões, quando eu comunicava as coisas e vocês vibravam e batiam palmas com o nosso crescimento. Quero levar essa imagem comigo, e queria dizer mais. Não está fácil. Não é fácil me separar do Pão de Açúcar, daquilo que foi a grande obra da minha vida. Claro que tenho muitas ideias, muitas coisas na cabeça, vou continuar meus investimentos, se Deus quiser. Enquanto Ele me der saúde eu não vou parar, vou continuar fazendo coisas. Mas nunca vou conseguir fazer alguma coisa tão grande — não digo em tamanho —, tão importante como o Pão de Açúcar. Então não é fácil, não é fácil sair daqui, não é fácil me separar. Mas queria dizer para vocês que também não é tão difícil.

Há dois anos eu descobri claramente que não poderia continuar minha sociedade com os franceses do Casino, que isso não seria mais possível, e que, não sendo possível, quem teria que sair seria eu. No começo foi muito difícil aceitar essa ideia, de que eu iria realmente ter que sair do Pão de Açúcar. Realmente muito difícil. Mas, aos poucos, eu fui entendendo. "O que é o Pão de Açúcar?" É claro, é uma enorme empresa, sensacional, uma empresa orgulho desse país, e, por mais que tenha controladores de outro país, tem que continuar sendo uma empresa que tem orgulho de estar no Brasil e ser uma empresa dos brasileiros. Mas o que é o Pão de Açúcar? O Pão de Açúcar é uma empresa enorme, com lojas, sede, centros de distribuição, com paredes, concreto, ativos, mas o que é para mim o verdadeiro Pão de Açúcar? É o meu DNA, aquilo que eu coloquei aqui, os meus valores, a minha cultura, o amor que eu coloquei sempre nessa empresa, nas coisas que eu fiz, o amor que eu sempre tive por vocês todos. Isso é o Pão de Açúcar. Isso, meus amigos, está dentro de mim, e vai comigo para onde eu for. Tendo deixado aqui as suas raízes, as suas sementes, uma árvore frondosa que nós plantamos e construímos aqui. Mas ele vai comigo, então eu nunca vou me separar do verdadeiro Pão de Açúcar. Quando entendi isso, as coisas não é que ficaram mais fáceis, mas começaram a ficar mais factíveis. Deu para encarar mais, para ver a realidade e sentir que a vida não acabava ali. E é assim que me sinto.

Foram dois anos muito difíceis. Mas muito difíceis. Mas, felizmente, acabou. E, como eu disse na carta que mandei a vocês, quis Deus que exatamente no momento em que essa empresa comemorava 65 anos de vida, na véspera do dia da Independência do Brasil, eu conseguisse conquistar também a minha independência e a minha liberdade. Deus tem sido sempre muito bom comigo, e até esses símbolos acontecem de uma maneira marcante. Vocês não sabem — ou talvez saibam—, mas eu nunca tinha me dado conta de como é importante a liberdade. Eu me senti preso aqui durante esses dois anos. Mas agora estou livre. Livre para quê? Para curtir a liberdade. Para viver em liberdade. Para fazer o que quiser, se quiser. E é isso que eu quero fortalecer cada vez mais na minha vida. Curtir essa liberdade, energia, força que Deus me deu e me dá. E me lembrar do Pão de Açúcar como a grande obra da minha vida, mas que está aqui. E lembrem-se de uma coisa — essa é a grande mensagem que passo para vocês: durante esses dois anos eu vinha dizendo nas plenárias que o Pão de Açúcar será sempre aquilo que vocês quiserem e forem capazes de fazer. Porque vocês são a força. O Pão de Açúcar é uma máquina. Mas é uma máquina com alma e coração, porque sempre dedicamos aqui os nossos sentimentos. Façam essa empresa crescer. Façam essa empresa ser cada vez mais sólida, cada vez mais importante. Sigam a trajetória de vocês, porque acima de tudo vocês são profissionais. Levem essa empresa para frente. Eu quero desejar, inclusive, aos novos controladores, muita felicidade naquilo que vão fazer. Que tenham carinho por essa empresa. Que a levem para frente. Mas que tenham sucesso.

Vocês me conhecem, eu não sou de curtir ódios, nem rancores, nada. Isso só faz mal. É claro que certas coisas que acontecem na vida a gente não esquece. Mas o importante não é esquecer; é não ficar relembrando, remoendo. É encarar a nova vida, os novos desafios e se reinventar. A minha filha, Ana Maria, está aqui na minha frente, junto com o João, com a minha mulher, a Geyze, me dando o maior apoio. A Ana tem uma frase que ela diz sempre: "Pai, o que eu mais admiro em você é a sua capacidade de se reinventar". Se eu tenho essa capacidade, vou usá-la. Sem rancores, sem ódio, sem tristezas. Com alegria, alegria de ter feito essa empresa. De deixá-la para os novos donos, para os novos controladores e para vocês. Quero levar de vocês, meus amigos, saudade, carinho, curtição, respeito, todas as coisas boas que a gente tem, e amizade.

De sexta-feira para cá, a quantidade de mensagens e de e-mails que eu recebi é incrível. Obrigado. Muito obrigado. Carinho no meu coração, obrigado. Eu quero agradecer a vocês o tempo que nós tivemos juntos. Quero agradecer a lealdade, a compreensão, a amizade e também o profissionalismo, a capacidade, tudo o que vocês fizeram por essa empresa. Quero agradecer a Deus por tudo aquilo que tem nos proporcionado, a mim e a todos. Sobretudo, quero agradecer à minha família, à Geyze, minha mulher; ao João e à Ana; à Rafa e ao Miguel, que estão lá em casa. Vocês me deram força nesses dois anos para que eu conseguisse ficar sempre bem. Por quê? Por aquilo que eu passo para vocês sempre: a vida é um todo. Então, no momento em que alguma coisa na vida não está bem, a gente tem que procurar se fortalecer na outra parte dela. Se as coisas no trabalho, as realizações, não estão bem, não estão satisfatórias, é preciso buscar refúgio onde está bom, buscar refúgio na família, no carinho das pessoas que te amam. Isso eu consegui. E me deu forças para chegar aqui nesse momento tão importante da minha vida.

Bom, falar quinze minutos numa despedida já é um excesso. Se eu me soltasse, eu ficava aqui falando um mundo de coisas. Uma coisa que eu quero fazer é uma homenagem ao meu pai, que há 65 anos – 65 anos e mais três ou quatro dias – começou tudo isso. O meu pai, que grande parte de vocês conheceu, gostou dele, porque meu pai era uma unanimidade, todo mundo gostava dele, todo mundo o queria bem. Que mesmo nos últimos anos da sua vida, nos últimos tempos, vinha nas plenárias, entrava por aquela porta que está ali atrás, sentava ao meu lado, dormia um pouquinho, olhava para vocês e ficava aqui conosco. Queria fazer essa homenagem ao meu pai.

Queria dizer mais umas coisinhas a vocês. Primeiro, eu sempre, em toda a minha vida, em toda a minha existência aqui dentro, sempre busquei o melhor para essa companhia. Sempre busquei o melhor. Inclusive vocês podem ter certeza de que a minha saída nesse momento, ou a minha saída já configurada há cerca de dois anos, foi sempre em busca do melhor para a companhia. E tenho certeza de que neste momento essa minha saída é o melhor para a companhia. Melhor para mim, melhor para o Casino, melhor para todos. Inclusive, vocês têm aqui [indica Enéas Pestana, que assumia a presidência do Pão de Açúcar] um líder. Um líder que conviveu comigo durante muito tempo. Um líder que tem as mesmas crenças, os mesmos valores que eu, e que acho que aprendeu um pouquinho comigo. Eu também um pouquinho com ele; quando a gente quer aprender, aprende com todas as pessoas.

Sigam o líder. Sigam o líder, vão em frente, sigam os nossos caminhos. Nossos caminhos estão razoavelmente bem traçados. A estrada é larga, é ótima, continuem nela. E não se preocupem comigo. Eu estou bem. Garanto a vocês, digo isso com sentimento do fundo do meu coração. Apesar da tristeza de estar me separando de vocês nesse momento, eu estou bem. Estou bem com a consciência e a certeza de que fiz o melhor para todos, o melhor que eu poderia fazer, que está feito. Com a certeza de que vou continuar também a minha vida enquanto Deus permitir, andando para frente e fazendo aquilo de que eu gosto, que é empreender, construir, fazer coisas. Então, fiquem bem também. Peço a Deus sempre que os ilumine. E vamos todos ter uma boa lembrança uns dos outros, sem rancores, sem ressentimentos, sem nada. Só alegria, só felicidade. Que Deus nos abençoe a todos, a vocês, a mim, à minha família, à família de vocês, ao Enéas que tem agora a função de conduzir vocês — e que vai, tenho certeza, conduzi-los bem. Que Deus nos ilumine a todos, que nos dê saúde e lembrem-se: Deus nos dando saúde o resto a gente vai buscar. Obrigado a todos vocês.

Orações diárias

PROGRAMA ESPIRITUAL

Você agora vai conhecer um poderoso programa espiritual. Recebeu este nome porque contém 63 afirmações que deverão ser feitas durante nove semanas seguidas. Essas afirmações podem transformar qualquer situação aflitiva em vitória pessoal para você. Peritos espirituais afirmam: se você fizer essas afirmativas durante nove semanas ininterruptas, no final já terá alcançado a graça almejada.

Atenção! Importante:
Não ponha em dúvida os conceitos aqui apresentados. Há em nosso espírito todos os recursos de que necessitamos para a solução de nossos problemas. As ideias estão presentes em nosso inconsciente e, quando libertadas pela força da oração, podem nos conduzir ao êxito de qualquer projeto.

Para receber as graças que almeja, faça três coisas:

1. Pergunte a si mesmo: "O que desejo é justo?".
Se puder responder a essa pergunta afirmativamente, faça então a Deus a seguinte oração:

"Senhor, Tu podes todas as coisas, Tu podes conceder-me a graça que tanto almejo. Cria, Senhor, as possibilidades para a realização dos meus desejos. Em nome de Jesus, amém!"

2. Imagine depois firmemente que seu desejo vai se materializar. Crie mentalmente a imagem de seu desejo realizado.

3. Coloque nas mãos de Deus esta questão e siga as orientações do Todo-Poderoso. Pratique a crença e continue a sustentar no pensamento o que idealizou. Faça isso e ficará surpreso com os caminhos estranhos por meio dos quais se materializará seu ideal.

OBSERVAÇÃO

A oração descrita no item 1 deverá ser repetida diariamente, várias vezes, tantas quanto forem possíveis repetir. Aproveite todos os momentos disponíveis para fazê-la. Concentre-se por alguns segundos e repita com fé.

Nas páginas seguintes, você tomará conhecimento do programa espiritual que deverá desenvolver. Leia todas as afirmações de uma vez para gravar seu conteúdo no espírito.

Depois, começando por um domingo:
a) Leia uma de cada vez;
b) Procure memorizar o que leu;
c) Durante todo o dia repita a afirmação a fim de gravá-la no espírito;
d) Afirme depois que acredita na veracidade de suas palavras.

PARA REZAR TODOS OS DIAS DE MANHÃ

Senhor, no silêncio deste dia que amanhece, venho pedir-Te a paz, a sabedoria, a força.
Quero ver hoje o mundo com os olhos cheios de amor, ser paciente, compreensivo, manso e prudente.
Ver além das aparências Teus filhos como Tu mesmo os vês; não ver senão o bem em cada um.
Fecha meus ouvidos a toda calúnia.
Guarda minha língua de toda maldade.
Que só de bênçãos enchas meu espírito.
Que todos quantos a mim se achegarem sintam a Tua presença.
Reveste-me de Tua beleza, Senhor, e que no decurso deste dia eu Te revele a todos.
Senhor, Tu podes todas as coisas.
Tu podes conceder-me a graça que tanto almejo.
Cria, Senhor, as possibilidades para a realização dos meus desejos.
Em nome de Jesus, amém!

AS SETE PRIMEIRAS AFIRMAÇÕES FORAM FEITAS POR JESUS. SÃO AS MAIS SÁBIAS E VERDADEIRAS ATÉ HOJE PRONUNCIADAS. NÃO DUVIDE DELAS.

1º DIA — DOMINGO

Se pedires, Deus te dará. Se buscares, Deus te fará encontrar. Se bateres, Deus te abrirá a porta. Pois tudo o que pedes, recebes de Deus. O que buscas, encontra em Deus; e a quem bate, Deus abrirá todas as portas.

2º DIA — SEGUNDA-FEIRA

Em verdade vos digo... se dois de vós sobre a terra concordarem a respeito de qualquer coisa que pedirem, isso lhes será feito por meu Pai, que está nos céus. Pois onde se acham dois ou três reunidos em meu nome, aí estou eu no meio deles.

MATEUS 18:19-20

3º DIA — TERÇA-FEIRA

Por isso vos digo: tudo quanto pedirdes em oração, crede que o recebereis, e assim será para convosco.

MARCOS 11:24

4º DIA — QUARTA-FEIRA

Se podes? Tudo é possível àquele que crê.

MARCOS 9:23

5º DIA — QUINTA-FEIRA

Não te disse que, se creres, verás a glória de Deus?

JOÃO 11:40

6º DIA — SEXTA-FEIRA

E tudo quanto pedirdes em meu nome eu o farei, para que o Pai seja glorificado no filho. Se pedirdes alguma coisa em meu nome, eu o farei.

João 14: 13-14

7º DIA — SÁBADO

Se vós estiverdes em mim e as minhas palavras estiverem em vós, pedireis o que quiserdes e vos será concedido.

João 15:7

OBSERVAÇÃO

Fim da 1ª semana: Agradeça a Deus pelas palavras orientadoras, confortadoras e inspiradoras de Cristo. Releia Suas palavras mais uma vez antes que o dia termine.

AS SETE AFIRMAÇÕES SEGUINTES FORAM FEITAS PELOS APÓSTOLOS DE CRISTO, AQUELES QUE CONVIVERAM COM ELE E DELE RECEBERAM A MISSÃO ESPIRITUAL. NÃO DUVIDE DE SUAS PALAVRAS, ELAS SÃO PROFUNDAMENTE VERDADEIRAS.

8º DIA — DOMINGO

E esta é a confiança que temos Nele, que se pedirmos alguma coisa segundo a Sua vontade, Ele nos atenderá.

1 JOÃO 5:14

9º DIA — SEGUNDA-FEIRA

Se algum de vós necessita de sabedoria, peça-a a Deus, que a todos dá liberalmente sem recriminação, e ser-lhe-á concedida. Peça, porém, com fé e nada duvidando... Não pense o homem que duvida que conseguirá de Deus alguma coisa.

TIAGO 1:5-7

10º DIA — TERÇA-FEIRA

Se Deus é por nós, quem será contra nós?

ROMANOS 8:31

11º DIA — QUARTA-FEIRA

Posso todas as coisas em Cristo que me fortalece.

FILIPENSES 4:13

12º DIA — QUINTA-FEIRA

Sei em quem pus minha confiança e estou certo de que Ele é poderoso para guardar meu depósito até aquele dia.

2 TIMÓTEO 1:12

13º DIA — SEXTA-FEIRA

As coisas que os olhos não viram, os ouvidos não ouviram e que jamais penetraram o coração dos homens são as que Deus preparou para aqueles que O amam.

1 Coríntios 2:9

14º DIA — SÁBADO

Porque tudo aquilo que é gerado por Deus vence o mundo; e esta é a vitória que vence o mundo: a nossa fé.

1 João 5:4

AS AFIRMAÇÕES SEGUINTES FORAM FEITAS POR TEÓLOGOS, PSICÓLOGOS E PESSOAS QUE PASSARAM POR PROFUNDA EXPERIÊNCIA ESPIRITUAL. NÃO DUVIDE DELAS, POIS TÊM O PODER DE ABRIR SEU ESPÍRITO PARA DEUS, POR MEIO DA FÉ.

15º DIA — DOMINGO

Ao iniciarmos um empreendimento duvidoso, nossa fé é a única coisa — compreenda bem isso — que assegura seu bom êxito.

16º DIA — SEGUNDA-FEIRA

Todo problema pode ser solucionado de maneira acertada se fizermos orações afirmativas. As orações afirmativas libertam as forças por intermédio das quais se conseguem os resultados.

17º DIA — TERÇA-FEIRA

Quando estiver fazendo sua oração, é importante lembrar que você está tratando com a maior força existente no Universo. A força que criou o próprio Universo — Deus. Ele pode criar os caminhos para a realização dos seus desejos.

18º DIA — QUARTA-FEIRA

O poder da oração é a manifestação da energia. Assim como existem técnicas científicas para a libertação da energia atômica, existem também processos científicos para a libertação da energia espiritual, por meio do mecanismo da oração. Esta afirmativa é uma delas.

19º DIA — QUINTA-FEIRA

A capacidade de ter fé e de utilizá-la para conseguir a libertação da força espiritual que ela proporciona é uma habilidade que, como qualquer outra, deve ser estudada e praticada a fim de se chegar à perfeição.

20º DIA — SEXTA-FEIRA

As atitudes são mais importantes que os fatos. Qualquer fato que enfrentamos, por mais penoso que seja, mesmo que pareça irremediável, não será tão importante quanto nossas atitudes em relação a ele. Por outro lado, a oração e a fé podem modificar ou dominar inteiramente um fato.

21º DIA — SÁBADO

Faça uma lista mental de seus valores positivos. Quando encaramos mentalmente esses valores e pensamentos, realçando-os ao máximo, nossas forças interiores começam a firmar-se, com o auxílio de Deus, tirando-nos da derrota para conduzir-nos à vitória.

OBSERVAÇÃO

Fim da 3ª semana. Você já percorreu um terço deste programa de orientação. Agradeça a Deus por isso. Releia as afirmações anteriores e renove seus propósitos de não interromper esta atitude de reavivamento espiritual.

22º DIA — DOMINGO

Conceba Deus como uma presença constante ao seu lado: no trabalho, em casa, na rua, no automóvel, sempre perto, como um companheiro muito íntimo. Leve a sério o conselho de Cristo: "Ore sem cessar", falando com Deus de maneira natural e espontânea. Deus o compreenderá.

23º DIA — SEGUNDA-FEIRA

O valor básico na física é a força, o fator básico na psicologia é o desejo realizável. A pessoa que pressupõe o êxito tende a alcançá-lo.

24º DIA — TERÇA-FEIRA

Não alimente pensamentos negativos durante suas orações, somente os positivos é que dão resultado. Afirme agora: Deus está comigo. Deus está me ouvindo. Ele está providenciando a resposta certa para o pedido que Lhe fiz.

25º DIA — QUARTA-FEIRA

Aprenda hoje o poder da crença no espírito, tendo somente pensamentos positivos. Modifique seus hábitos mentais para crer em vez de descrer. Aprenda a esperar, não a duvidar. Procedendo assim, trará a graça que almeja para o reino das possibilidades.

26º DIA — QUINTA-FEIRA

A pessoa que confia em Deus e em si, a pessoa que é positiva, que cultiva o otimismo e se entrega a uma tarefa com a certeza de que terá êxito magnetiza a sua condição e atrai para si as forças criadoras no Universo.

27º DIA — SEXTA-FEIRA

Há uma profunda tendência para se alcançar o que se imagina e se conserva gravado no espírito, mas é preciso que o objetivo seja justo. Por isso, afaste dos pensamentos as ideias ruins. Nunca aceite que o pior poderá acontecer. Espere sempre o melhor, e o criador espiritual do pensamento, auxiliado por Deus, há de lhe dar o melhor.

28º DIA — SÁBADO

O poder da fé faz maravilhas. Você poderá conseguir as coisas mais extraordinárias pelo poder da fé. Por isso, quando pedir a Deus alguma graça, não alimente dúvidas no coração por mais difícil que seja de ser alcançada. Lembre-se de que a fé faz maravilhas.

OBSERVAÇÃO

Fim da 4ª semana. Você já notou a diferença que essas afirmações estão operando em você? Agradeça a Deus por isso e peça-Lhe que continue aperfeiçoando-o cada vez mais.

29º DIA — DOMINGO

Lembre-se sempre: a dúvida veda o caminho para a força; a fé abre esse caminho. O poder da fé é tão grande que nada há que Deus não possa fazer por nós, conosco ou por meio de nós, se permitirmos que Ele canalize a Sua força através do nosso espírito.

30º DIA — SEGUNDA-FEIRA

Repita várias vezes hoje estas três afirmativas:
1. Acredito que Deus está libertando as forças que me darão o que eu desejo.
2. Acredito que estou sendo ouvido por Deus.
3. Acredito que Deus abrirá sempre um caminho onde não existe caminho.

31º DIA — TERÇA-FEIRA

O temor é o grande inimigo aniquilador da personalidade humana e a preocupação é a mais sutil e a mais destruidora de todas as doenças. Entregue agora os seus temores e as suas preocupações a Deus Todo-Poderoso. Ele sabe o que fazer com eles.

32º DIA — QUARTA-FEIRA

Se tiveres fé, mesmo que ela seja como um grão de mostarda, a ti nada será impossível.

MATEUS 17:20

A fé não é uma ilusão nem uma metáfora. Ela é um fato absoluto.

33º DIA — QUINTA-FEIRA

Ter fé não é fazer força para crer. É passar do esforço para a confiança. É mudar a base de sua vida, passando a acreditar em Deus, e não apenas em você.

34º DIA — SEXTA-FEIRA

Diz um ditado popular que devemos ver para crer. Cristo nos ensina, porém, o contrário. Diz Ele que devemos crer para depois ver, isto é, se tivermos fé e sustentarmos na imaginação a realização do que desejamos, logo esse desejo se materializará. Assim, basta crer para ver.

35º DIA — SÁBADO

A fé traz os acontecimentos do futuro para o presente. Mas, se Deus demora em atender, é porque Ele tem um propósito: fazer amadurecer mais nossa fibra espiritual por meio da espera ou, então, Ele se demora para fazer um milagre maior. Suas demoras são sempre propositadas.

OBSERVAÇÃO

Fim da 5ª semana. Você passou da metade deste programa. Agora agradeça a Deus por isso e renove seu propósito de não interrompê-lo.

36º DIA — DOMINGO

Mantenha sempre a calma. A tensão impede o fluxo da força do pensamento. Seu cérebro não pode funcionar com eficiência sob tensão nervosa. Enfrente os seus problemas com serenidade. Não tente forçar uma resposta. Mantenha o espírito tranquilo e a solução aparecerá.

37º DIA — SEGUNDA-FEIRA

A medicina tem progredido muito, mas ainda não descobriu remédio nem vacina para nos liberar de nossos temores ou conflitos. Uma compreensão melhor de nosso íntimo e o desenvolvimento da fé em nosso espírito parecem formar a combinação perfeita para um auxílio divino e permanente a qualquer um de nós.

38º DIA — TERÇA-FEIRA

Lembre-se de que as afirmativas divinas são verdadeiras leis. Lembre-se também de que as leis espirituais governam todas as coisas. Deus disse através de Cristo: "Tudo é possível àquele que crê". Esta afirmação é uma lei divina imutável.

39º DIA — QUARTA-FEIRA

Não faça somente pedidos quando orar, afirme também que lhe estão sendo dadas muitas bênçãos e agradeça todas elas. Faça uma oração em intenção de alguém com quem não simpatize ou que o tenha tratado mal. Perdoe depois essa pessoa. O ressentimento é a barreira número um da força espiritual.

40º DIA — QUINTA-FEIRA

Manifeste sempre a sua aquiescência em aceitar a vontade de Deus. Peça o que quiser, mas esteja pronto a aceitar o que Deus lhe der. Talvez seja melhor do que aquilo que você pediu.

41º DIA — SEXTA-FEIRA

No ano 700 a.C., um profeta israelense disse: "Não o soubeste? Não ouviste ainda que o eterno Deus, o Senhor, o Criador de todas as coisas não desfalece, não cansa, nem dorme? A sua compreensão é poderosa. Ele dá força aos fracos e renova a resistência dos que O buscam".

42º DIA — SÁBADO

Há um poder supremo e esse poder é capaz de fazer tudo por você. Não tente vencer seus problemas sozinho. Recorra a Ele e usufrua de Seu auxílio. Se você se sente desgastado, pode recorrer a Ele. Apresente-Lhe, pois, o seu problema e peça uma resposta específica. Ele lhe dará.

OBSERVAÇÃO

Fim da 6ª semana. Que mudanças você já percebeu na sua vida com esse programa? Renove sua fé e seu desejo de concluí-lo.

43º DIA — DOMINGO

Diga hoje, várias vezes: "A concretização do que almejo não depende da minha habilidade, mas da fé que sou capaz de depositar na habilidade de Deus, que tudo pode".

44º DIA — SEGUNDA-FEIRA

Faça agora a seguinte oração: "Coloco, no dia de hoje, a minha vida, os meus entes queridos e o meu trabalho nas mãos de Deus, e só pode advir o bem. Sejam quais forem os resultados deste dia, ele está nas mãos de Deus, de onde somente pode advir o bem".

45º DIA — TERÇA-FEIRA

Vá hoje um pouco além da fé, ponha em prática a ideia da presença de Deus. Creia sempre que Deus é real e presente como qualquer pessoa que convive com você. Creia que as soluções que Ele apresenta para seus problemas não têm erros. Creia que você será guiado em suas ações de forma a alcançar o resultado certo.

46º DIA — QUARTA-FEIRA

Diga hoje: "Sei que vou conseguir o que desejo, sei que vou vencer todas as dificuldades, sei que possuo em mim todas as forças criadoras para enfrentar qualquer situação, pairar acima de qualquer derrota, resolver todos os problemas que por acaso haja em minha vida. Essas forças vêm de Deus".

47º DIA — QUINTA-FEIRA

Aprenda hoje um fator importante: seja qual for a situação que estiver enfrentando, mantenha-se calmo, dê o melhor de si, assuma uma atitude amistosa, na paz de Cristo.

"Deixo-vos a paz, eu vos dou a minha paz, e não se turve o vosso coração nem vos atemorize."

JOÃO 14:27

48º DIA — SEXTA-FEIRA

Jesus disse: "Vinde a mim todos que estais cansados e oprimidos, e eu vos aliviarei... Aprendei de mim, que sou manso e humilde de coração; e encontrareis descanso para as vossas almas".

MATEUS 11:28-29

Dirija-se a Ele hoje.

49º DIA — SÁBADO

Se você guarda alguma amargura, o remédio mais acertado para ela é o conforto salutar que advém da fé em Deus. Inegavelmente, a receita básica para sua amargura é entregar-se a Deus e dizer a Ele o que lhe oprime o coração. Ele há de tirar de seu espírito o peso do seu sofrimento.

OBSERVAÇÃO

Fim da 7ª semana. Agradeça a Deus por ter chegado até aqui e continue se fortalecendo por meio da oração e destas afirmações inspiradoras.

50º DIA — DOMINGO

Um trapezista famoso tentava encorajar um aluno a fazer acrobacias no alto do picadeiro, mas o rapaz não conseguia, pois o medo de cair o travava. Foi então que o veterano lhe deu um conselho extraordinário: "Rapaz, lance seu coração sobre a barra que seu corpo o acompanhará. O coração é o símbolo da atividade criadora. Lance-o sobre a barra". Do mesmo modo podemos dizer: lance a fé sobre as dificuldades e você poderá vencê-las. Lance a essência espiritual de seu ser sobre os obstáculos que sua parte material o acompanhará. Então, você há de ver que os obstáculos não tinham tanta resistência assim.

51º DIA — SEGUNDA-FEIRA

De duas coisas você pode ter certeza:
1. Qualquer experiência que nos torture a alma traz a oportunidade de crescermos com ela.
2. A maior parte dos transtornos desta vida está dentro de nós mesmos. Felizmente a solução para eles também está ali, pois o mistério bendito é que Deus também pode habitar dentro de nós.

52º DIA — TERÇA-FEIRA

Apodere-se hoje do otimismo, que é o pensamento positivo iluminado. Quando nossa mente está cheia de otimismo, nossas forças naturais recriadoras são estimadas por Deus. O otimismo tem seus alicerces firmados na fé, na expectativa e na esperança. Esteja confiante de que existe uma solução certa para todos os problemas.

53º DIA — QUARTA-FEIRA

Ter problemas não é tão desesperador assim. Desesperador é não ter coragem de lutar contra eles. Homens fortes, capazes de realizar grandes obras, compreendem que os problemas são para a mente, assim como os exercícios são para os músculos. Eles desenvolvem a força necessária para uma vida construtiva e feliz.

Agradeça hoje a Deus os problemas que você já conseguiu superar com sua coragem e determinação.

54º DIA — QUINTA-FEIRA

Não fique preso às desilusões do passado. Não permita que elas entristeçam o presente nem atrapalhem o futuro. Diga como um célebre filósofo: "Não vou me preocupar com o passado, vou apenas pensar no futuro, pois é nele que eu pretendo passar o resto da vida".

55º DIA — SEXTA-FEIRA

Se pretende que suas energias sejam renovadas, deve saber o seguinte: toda energia nova procederá quando entregar sua vida a Deus, quando aprender a viver na companhia de Deus e a falar com Ele de maneira natural e espontânea. Em tais circunstâncias, a oração tem mostrado ser poderosa força reativadora do estímulo e da renovação das energias.

56º DIA — SÁBADO

Muita gente que não tinha o costume de orar passou a fazê-lo e descobriu que a oração não é exercício místico, visionário e piegas. A oração pode ser um método prático e científico para estimular a mente e a capacidade criadora. De fato, a oração é o canal espiritual que liga o nosso espírito ao Espírito de Deus. Sua graça então pode fluir livremente para nós.

OBSERVAÇÃO

Fim da 8ª semana. Ao reafirmar, dia após dia, a nossa essência e direcioná-la para o bem, caminhamos para a construção de nossos desejos e de uma vida de reflexão, equilíbrio e paz. Agradeça a Deus por ter chegado até aqui.

57º DIA — DOMINGO

De uma coisa você pode ter certeza: jamais conseguirá resultados do coração se não orar. Você jamais aumentará sua fé se não desenvolvê-la e exercitá-la pela oração. Oração, paciência e fé são os três fatores primordiais de uma vida vitoriosa. Deus ouvirá suas preces.

58º DIA — SEGUNDA-FEIRA

Buscar-me-eis e me achareis quando me buscardes com todo o vosso coração.
JEREMIAS 29:13

Deus será encontrado no dia em que O buscarmos de todo o coração. Isso é tão verdadeiro quanto a presença do Sol na Terra. Deus impulsionou as forças que impulsionaram a concretização de seus pedidos.

59º DIA — TERÇA-FEIRA

Conquistar a Deus não se faz às pressas. Permanecer muito tempo com Deus é um segredo para conhecê-Lo e fortalecer-se Nele. Deus cede à persistência de uma fé que não se cansa. Dá as mais ricas graças àqueles que, por meio da oração, demonstram seu desejo por elas. Deus criou um caminho onde não existia caminho.

60º DIA — QUARTA-FEIRA

Não se preocupe em pensar que está importunando Deus com seus pedidos constantes. A importunação é a essência da oração eficiente. Insistência não significa repetição incoerente, e sim um trabalho sustentado com esforço diante de Deus. O poder da fé faz maravilhas.

61º DIA — QUINTA-FEIRA

A oração traz sabedoria, alarga e fortalece a mente. O pensamento não é só iluminado na oração, mas o pensamento criador nasce na oração. Podemos aprender a criar muito mais depois de dez minutos de oração do que muitas horas na escola. Você pediu, Deus lhe deu. Você buscou, Deus o fez encontrar.

62º DIA — SEXTA-FEIRA

Deus tudo fez por nós em resposta às nossas orações. Todas as pessoas que conseguiram realizar na vida coisas extraordinárias são unânimes em afirmar que colocaram a oração em primeiro lugar nos seus esforços, que deram ênfase à oração, que se entregaram a ela, tornando-a uma verdadeira tarefa; sujeitando-se a ela, dando-lhe fervor, urgência, perseverança e tempo. O Senhor disse: "Se creres, verás a glória de Deus".

63º DIA — SÁBADO

Em qualquer situação da vida, orar é a melhor coisa que podemos fazer e, para fazê-la bem, precisamos de quietude, tempo e deliberação. Deve haver também em nós o desejo de vencer os obstáculos por meio da oração. O impossível reside nas mãos inertes daqueles que não tentam. Lembre-se agora das palavras de Jesus: "Tudo é possível àquele que crê".

CONCLUSÃO

Você acaba de cumprir um poderoso programa espiritual. Recebeu de Deus, por intermédio Dele, a graça que pediu e muitas outras que não pediu. Percebeu e constatou que as afirmações aqui registradas são cheias de poder. Acredite agora que a força que criou o universo continua criando inúmeras coisas e criou também as possibilidades para que seu pedido se materializasse. Agora você sabe que as orações e as afirmações libertam as forças por intermédio das quais se conseguem resultados.

Não abandone esses hábitos agora. Reconheça: você ainda tem muito para receber.

EU DOU GRAÇAS A DEUS POR TANTAS GRAÇAS RECEBIDAS

Senhor,
  No silêncio desta noite que se cala, venho pedir-Te a paz,
a serenidade e o aconchego.
  Quero sonhar hoje com um mundo muito melhor. Ter a clareza
de enxergar como será possível alcançar justiça entre Teus filhos
e me refazer a ponto de conseguir criar soluções para
diminuir as diferenças entre Teus filhos. Me alimentar com Tua
graça, Tua energia, Tua sabedoria.
  Quero acordar amanhã com energia e saúde para fazer a
minha parte, e paciência para esperar pela parte que o Senhor
vai me dar!

Amém.

Créditos das imagens

CADERNO 1

pp. 1, 2, 5 (abaixo), 8, 9, 13 (acima), 14 (abaixo) e 16: Acervo pessoal do autor

pp. 3, 4, 5 (acima), 7 (abaixo), 11 (acima), 14 (acima) e 15: DR/ Acervo pessoal do autor

p. 6: Roosevelt Cássio/ Folhapress

p. 7 (acima): Foto Arquivo/ Agência O Globo

p. 10: Adão Nascimento/ Estadão Conteúdo

p. 11 (abaixo): João Habensehuss/ Agência O Globo

p. 12: Luiz Novaes/ Folhapress

p. 13 (abaixo): Luiz Carlos Murauskas/ Folhapress

CADERNO 2

pp. 1-4, 5 (acima), 6, 9 (abaixo), 11, 12 (acima), 13 (acima) e 14-15: Acervo pessoal do autor

pp. 5 (abaixo), 7, 8 (acima), 9 (acima) e 16: DR/ Acervo pessoal do autor

p. 8 (abaixo): Nino Andrés/ Editora Trip

p. 10: DR/Br Foods

p. 12 (abaixo): Alexandre Virgílio/ Revista RG/ Carta Editorial

p. 13 (abaixo): Eduardo Knapp/Folhapress

1ª EDIÇÃO [2016] 6 reimpressões

ESTA OBRA FOI COMPOSTA PELA ABREU'S SYSTEM EM INES LIGHT
E IMPRESSA EM OFSETE PELA LIS GRÁFICA SOBRE PAPEL PÓLEN NATURAL
DA SUZANO S.A. PARA A EDITORA SCHWARCZ EM MARÇO DE 2024

A marca FSC® é a garantia de que a madeira utilizada na fabricação do papel deste livro provém de florestas que foram gerenciadas de maneira ambientalmente correta, socialmente justa e economicamente viável, além de outras fontes de origem controlada.